Super ET

Valeria Parrella
Lettera di dimissioni

Einaudi

© 2011 e 2013 Giulio Einaudi editore s.p.a., Torino

Prima edizione «Supercoralli»

www.einaudi.it

ISBN 978-88-06-21568-2

*a Davide I., da tutte noi*

# Lettera di dimissioni

– Strana immagine è la tua, – disse, – e strani sono quei prigionieri.
– Somigliano a noi, – risposi.

PLATONE, *La Repubblica*

Chi sceglie il male minore dimentica rapidamente di aver scelto a favore di un male.

HANNAH ARENDT, *La responsabilità personale sotto la dittatura*

Prima parte

# Uno

In fondo per quello che ne sapevo io la nonna Franca era arrivata in città solo nel 1914, mediana di svariati figli. Lei si chiamava Čechov di cognome, e tutti i segni ne portava in quel viso da vecchia che io ricordo bene, talvolta nei miei sogni, con un naso come una pallina e le sopracciglia folte, gli occhi piccoli a proteggersi dalla tormenta delle notti russe. Raccontava solo due cose della sua infanzia: ricordava suo padre che andava al fronte della grande guerra. Ma che tornasse non lo ricordava: piuttosto raccontava della partenza straziante, e di un mantello nero che si allontanava, con qualche figlio veloce che poteva ancora correre per acchiapparne un lembo, e di una madre terrorizzata che la teneva in braccio. E come un sipario di morte calava nero su di loro quel mantello lasciando me, che ascoltavo, e lei, occhi sgranati di vecchia sul ricordo, in una polvere fumosa e un'immagine grigia. L'immagine, l'unica che lei possedeva e io avevo scandagliato nel fondo alla ricerca della mia origine, era una fotografia piccola come una figurina, su una carta ingiallita, e resa ancora piú incerta da una lampadina tremolante, in foggia di fiamma, che le faceva luce e buio assieme dal comò di questa mia casa pristina.

L'altro ricordo della nonna Franca riguardava appunto una lampadina. Il ricordo è questo: una sera non si dovettero piú accendere le candele, si andò tutta la famiglia vicino alla parete della stanza centrale, e da una conchiglia di ceramica partí la luce. Un impulso elettrico fece sfrigolare due fili neri attorcigliati lungo tutto il muro che salivano fino al soffitto. E in un tempo infinitamente inferiore a quello che serviva per accendere le candele, la conchiglia di ceramica lanciò un grido dal muro alla lampadina appesa, e quella lí, che penzolava, sollecita fece la luce. Nonna Franca mentre mi parlava, seduta nella sua cucina di maiolica verde, in un angolo della finestra che precipitava sulle colline abusate dall'amministrazione Lauro, foreste di palazzi tutti uguali tutti brutti, si accendeva anche lei assieme alla sua prima lampadina elettrica e poi chiosava sempre allo stesso modo: che dopo un poco sua madre andò a spegnere la lampadina perché aveva paura che si consumasse, e rimise in mezzo tutte le candele.

Io questo vedevo allora: una nonna ingenua che manco il congelatore possedeva, usando il frigorifero da campo impostole dalle figlie con i tempi di una dispensa, e che pure poteva ridere di un'ingenuità piú antica. E dietro di lei, stretta nello spazio di mezza finestra, vedevo una città infamata e infamante, derubata e ladra. Eppure da quel ventre io avrei tratto, e in quel ventre sarei scesa, lo sapevo, per diventare grande.

Dal quarto piano di quel palazzo, che a sua volta era nato sulle spalle di un altro palazzo, e che quindi calava veramente dall'alto su una teoria ininterrotta di palazzi senza potervi distinguere strade né divisioni, né androni, né marciapiedi, né interruzioni, ma solo a inseguirsi antenne e terrazzi di copertura e balconcini mille, io volavo sulla città. Facevo cosí: mi sedevo sulle mattonelle calde del balcone, dopo che il sole era finito dietro il suo orizzonte di cemento, allungavo le gambe giú dalla ringhiera, e pensavo di volare. Non giocavo a volare: io pensavo di volare, in fondo volavo. M'infilavo nei balconi degli altri, sbirciavo la luce azzurra e incerta dei televisori accesi, vedevo uomini sedersi a tavola e donne sfaccendare, poi piú tardi planavo sui terrazzi infuocati dove si usciva a prendere un poco d'aria, e seguivo senza poterle ascoltare le conversazioni delle signore, e i loro gesti che accompagnavano la parola, disegnati per aria dalle lucciole delle sigarette accese. Le storie che ho piú voluto si consumavano dietro tende tirate ed erano ombre cinesi che ingigantivano e rimpicciolivano nel movimento, tutto sotto i miei piedi sospesi.

Questa nonna Čechov, arrivata in città come discendente di un ussaro maritato con una francese, era stata la piú sfortunata di tutte. Lo dicevano le sue figlie: mia madre e mia zia, che l'amavano tanto, e a regalarle la sfortuna si sentivano di proteggerla. Gli altri fratelli avevano fatto una certa carriera in città, dando l'avvio a due rami della famiglia: uno si era industriato nella fotografia, l'altro negli impianti di riscaldamento, e in breve ciascuno di loro aveva avuto un negozio, e poi dei dipendenti, e poi altri negozi, tirando su nell'agiatezza tutti i parenti e i congiunti. La piú bella di queste sorelle fu rapita un giorno, come i satiri rapivano le fanciulle, da un giovane ufficiale siciliano di stanza alla Nunziatella che se la dovette sposare, dunque, e la portò a vivere in un paese sprofondato tra la chiesa e il mare a qualche chilometro da Palermo, nel quale la zia Marta, femmina e straniera, non ebbe vita facile.

Si ammonticchiavano, sul comò di nonna Franca, affianco alla foto del padre perso in chissà quale trincea e della madre finita di vecchiaia sotto la luce tremolante, le lettere da Altavilla della zia Marta. Nonna Franca ci metteva giorni interi per decidersi a risponderle, e quando lo faceva non era mai davanti a me. Capitava quindi che mi svegliassi il pomeriggio, dopo un riposino imposto, e trovassi la lettera già chiusa e affrancata, imbottita di parole e pronta a partire per la cassetta della posta con il primo che si trovava a uscire. La nonna Franca aveva la grafia bella delle persone anziane che hanno fatto poca scuola, e con quella commentava la vita ritirata che menava la sua povera sorella. Facevano a gara a darsi delle poverelle: non l'una con l'altra in un compatimento manifesto, bensí ciascuna per suo conto: con il marito Giacomo mia nonna, e con le figlie entrambe, non tanto per sentimenti di pietas, quanto perché a rimarcare la sfortuna dell'altra ciascuna di loro sentiva meno la propria.

La sfortuna di zia Marta era iniziata con una grande fortuna, una di quelle per cui molte sorelle potevano invidiare e molti fratelli ingelosire e molti genitori odiare, di quell'odio contenitivo dei genitori che non sopportano la felicità dei figli: l'aveva rapita proprio quell'ufficiale della Nunziatella, quello bellissimo, che passeggiava di pomeriggio per piazza Plebiscito con lo spadino e l'uniforme blu e si spingeva fino al Rari Nantes per vedere se c'erano donne eleganti da invitare al ballo di fine anno. Era proprio il piú bello di tutti e si era innamorato di Marta, ricambiato da prima ancora di conoscersi, ricambiato da sempre, come sanno ricambiare le ragazze giovani per essersi preparate da sole, senza vera immagine alcuna, nel silenzio della propria stanza, davanti allo specchio o con il vestito di una sorella maggiore addosso, solo tenendo dietro a quell'affanno immotivato del cuore. Quindi io proprio non me la potevo figurare questa sventura, preludio a quella fitta corrispondenza che mi veniva nascosta, o per lo meno cosí a me sembrava: tutte le buste ricevute chiuse da un nastro con un fiocco che io mai avrei saputo riprodurre, ma chiuse strette, che a sfilarne una non sarei riuscita piú a rimetterla a posto, tra la biancheria intima di mia nonna. E quelle da spedire piene di parole nuove e nuovi sensi sigillate sempre un attimo prima che io mi svegliassi da quel maledetto riposino che, ne ero sicura, mi veniva imposto proprio per avere agio nello scrivere la sfortuna che non potevo cogliere.

Dopo la fuitina i due innamorati si erano dovuti sposare di corsa e di corsa erano andati a vivere nella Villa Soriano di lui, a strapiombo sui fichi d'india e di lí a strapiombo sul mare di Palermo, una di quelle ville giallo tufo: cosí mamma me la raccontava. Ma mentre me la raccontava le passava l'estate negli occhi, e cosí non c'era molto da starle a credere.

Mia nonna Franca, intanto, non era stata sottratta da alcuno al suo destino greve di sposare un uomo che non amava, il nonno Giacomo, e che quindi dopo un poco già odiava. Da quello che dicevano le figlie di quel matrimonio, e da quello che potevo vedere io, c'era e ci sarebbe stata nel mondo solo una cosa peggiore dello stare lontani da chi si ama: stare vicini a chi non si ama.

Il giovane Giacomo aveva messo gli occhi su Franca, quella che restava sola sotto i bombardamenti degli alleati con la madre paralizzata, mentre i fratelli maggiori sfollavano in quelle stesse catacombe che oggi i turisti visitano vocianti. I fratelli avevano famiglia e la morte non doveva toccarli, mentre la madre antica era paralizzata, permeata già per metà dalla morte, cosí che l'altra metà voleva compagnia. Franca restava.

Nelle lunghe estati senza scuola, io a piedi nudi fuori al balcone e con le mani sporche di gelso, mi raccontava di quegli aerei che volavano senza essere visti, di quegli annunci di sirena che ancora e per sempre le percuotevano i timpani. Faceva con la testa cosí, dalla balaustra alla finestra, passando con il ricordo su tutti i palazzi che entravano nel mio sguardo e che si corrompevano davanti ai miei occhi. Davanti ai miei occhi smettevano i palazzi di Achille Lauro, tutti grigi, e ne comparivano altri, in bianco e nero e fumo assai, e il caldo che sentivo sotto i piedi già non era piú quello della vacanza estiva, ma il piano di sotto che bruciava.

Saltavano a uno a uno i vetri, con scoppi sequenziali, quasi contemporanei ma sfalsati di un secondo, e poi, in quella stanza buia, piegata sulle gambe fredde e immobili della madre, tentando rosari come mantra, come ninne nanne, Franca sentiva il primo fischio fendere l'aria. Il fischio è una cosa pesante che cade dall'alto e si avvicina sempre di piú, e se cade su di te, muori. C'era un sollievo amaro a sentir saltare per aria il palazzo affianco, quello delle signorine Autiero. Poi un altro fischio, ma questo lontano, poi

un altro vicino, e cosí via, centocinque volte per tre anni.
Quando i fischi furono finiti davvero, i fratelli di Franca
pensarono che alla loro paralitica madre serviva proprio un
aiuto costante, e che quindi non era cosí urgente che Franca si sposasse. Invece Franca, mentre i fratelli calcolavano
i danni e rimettevano su i commerci, si era innamorata di
un giovane stampatore: lo aveva conosciuto nella penombra della camera oscura, lei spuntinava le fotografie. Poi
si erano parlati sotto la luce rossa dello sviluppo, le mani
corrose dal rivelatore e l'odore del bagno d'arresto su per
il naso fino alla fronte, infine mentre lei ritoccava le gote
rosa di una sposa di guerra con un acquerello, lui le aveva
baciato i capelli, e poi la bocca.

«Pizzichi e baci non fanno pertusi», chiosava la nonna,
poi non diceva piú niente, ché tanto il resto si intendeva,
si è inteso per una sessantina d'anni. Io, all'epoca, seduta
sulla sediolina costruita e dipinta dal nonno Giacomo per
i nipoti, una sedia bassa, che pure fuori a un balcone di
luglio in mezzo al cemento aveva i poteri evocativi del fo-
colare, non capivo precisamente, ma certo che quegli occhi, dietro occhiali spessi e unti di mani concentrate alla
cucina, bruciavano mentre dicevano, e non c'erano cata-
ratte che potessero spegnerli.

E cosí quello che restava a me era questa impressione:
che la vita stava tutta fuori di me, era nel passato, nel futuro, nelle cose. Nelle parole. Nei gesti degli altri. Che mi
si concedeva per brandelli, e che quei pezzi non erano gli
stessi che riuscivo a catalogare e nominare con il sussidia-
rio. Quella fetente stava da un'altra parte, mi aspettava
dietro gli angoli come i gatti all'agguato. E io prima o poi
le sarei andata incontro.

Questo Giacomo, manco lui se l'era vista facile. Neppure trent'anni aveva, quando prigioniero in Grecia gli era
venuta una terribile dissenteria mangiando carne di capra
infetta e dissetandosi con acqua ancora piú infetta, che ci
stava lasciando le ossa, lí. Però poi a piedi se n'era torna-

to, dalla Grecia, aveva fatto tutto fino a su, poi l'arco, e poi di nuovo a scendere. Mentre ero a scuola, a guardarlo camminare sull'atlante, seguendolo con il dito lungo la costa, d'un tratto alzavo gli occhi alla maestra e mi dicevo «eppure la Grecia sta là di fronte, bastava una nave». Ma quello se l'era fatta a piedi, senza una telefonata che avvisasse l'arrivo: io me la immaginavo la sua prima visione di Napoli distrutta e affamata, subito dopo le Quattro Giornate. I pennacchi di fumo dalle macerie confusi con quello del vulcano muto attonito, vecchi stracci e donne lacere, bambini senza scarpe in fila al porto dagli americani, alti pianti per gli ultimi martiri della Resistenza, e tutt'intorno, come se nulla fosse, poiché era il principio d'ottobre, buganvillee fiorite e viti rosse e viola, e capperi dai muri sbrecciati, e mare blu infinito, e Capri lí sul fondo. Il miracolo che la città gli apparve e mai è stata.

Ma nonno Giacomo della guerra non parlava mai, se non della vicenda del mal di capra quando noi nipoti davamo di stomaco dopo un viaggio in macchina. Piuttosto pure lui diceva, con l'unico occhio sbarrato sul passato (l'altro era di vetro, bello, sempre pulito e blu) che sua madre per punirlo lo stendeva sul tavolo. Faceva con la mano cosí, verso il tavolo della cucina, noi irrigiditi sulle sedie con i capelli dritti in testa, ché la madre lo stendeva proprio su quel tavolo e gli tirava la lingua. E la cacciava tutta fuori, la lingua, nel raccontarlo. Poi scuoteva la testa per liberarsi del ricordo, come quando mandi via quella mosca che ritorna sempre. Io, ma credo anche mio fratello Alessandro, ci provavo in segreto a vedere com'è quando ti tirano la lingua, ma era viscida, prima di tutto, e quindi mi andavo convincendo che la storia non dovesse essere tecnicamente vera. Però quell'infanzia a mio nonno gli aveva alleggerito di molto la guerra, che era un posto dove almeno puoi provare a difenderti.

L'occhio l'avrebbe perduto molti anni dopo sul lavoro, poco prima di andare in pensione, quando, scalpellando non so quale traversina, una scheggia sfuggita gli si era conficcata nella palpebra. Mentre l'ambulanza lo portava di corsa al Cardarelli i suoi colleghi, operai come lui alla ferrovia, gli avevano sostituito gli attrezzi personali con cui lavorava – quei martelli e quelle morse rodate dalla mano e tenaci come denti di predatore che ciascun fabbro rivendica per sé – con altri regolamentari e con il numero di inventario sopra. Cosí che almeno, con quell'occhio di vetro, aveva potuto prendere una pensione di invalidità e l'autobus gratis tutte le domeniche per andare a Poggioreale a onorare i morti.

Quando sono arrivata io al mondo il nonno aveva già l'occhio di vetro e la dentiera: si smontava a pezzi. Li lasciava la sera ciascuno nel suo contenitore badando di non farsi mai vedere, ma noi nipoti lo sapevamo bene che c'erano denti e occhi che galleggiavano tra le bollicine frizzanti di una pasticca, e che quello che dormiva doveva essere un nonno vuoto. Con quelle stesse mani consapevoli dei binari aveva costruito la sediolina sulla quale stavo io accucciata, fuori a quel balcone, e aveva costruito altre mille cose che erano in casa, la cassetta per le spazzole e le cromatine con cui lucidava le scarpe la domenica, il coperchio della Singer di Franca e la sua scatola da lavoro, cosí che a me pareva un nonno pacificato e solerte, e faticavo a farlo coincidere con l'uomo che il giorno delle ceneri aveva scassato una sedia in testa a un vicino. Io non conoscevo la violenza, e dai racconti terribili di mia madre mi sembrava che fosse come il lato oscuro dei pianeti, quello che per fortuna non si vede. Ma insomma, mi consolavo, che poi quella sedia avrà pure dovuto ripararla lui.

Franca e Giacomo non avevano nulla in comune, se non gli aeroplani. Lui costruiva dei modellini, in legno e latta prima, in plastica poi, quando arrivò la plastica, e li collezionava nella vetrinetta dei liquori, vicino al Cynar, al Borsci S. Marzano, all'amaretto Disaronno, allo Strega, e ai bicchieri Napoleon. I modellini erano tutti atterrati lí, nel mogano, dietro un vetro serigrafato con un tralcio di vite, dopo che lui aveva quasi pilotato un caccia-bombardiere. Questa storia qui era destinata a mio fratello, interlocutore prediletto di qualunque cosa riguardasse i motori, benché mio nonno non avesse la patente e forse non sapeva neppure guidare la macchina: quando era cresciuto lui le macchine erano poche, si prendevano a noleggio con l'autista il giorno della Madonna del Rosario per andare a Pompei, al santuario. Poi c'era stata la guerra, e poi la città, assediata e invasa dalle macchine, ma fatta per i piedi e per i tram arancioni, per le funicolari e le scale, per fermarsi e perder tempo. Per le macchine no.

Ma il nonno Giacomo aveva quasi imparato a pilotare un aereo. Ne prendeva uno, lo faceva decollare dal tavolo a otto posti della sala da pranzo, e lo faceva sparire dietro le tende. Due volte l'aveva fatto, nella piana di Maratona, con le cuffie in testa e tre quattro spie da tenere d'occhio casomai lampeggiassero.

Franca aveva un rapporto piú immediato con gli aeroplani: non ci era mai salita manco una volta e penso che non l'avrebbe fatto neppure se ce l'avessero portata. Ma leggeva Matilde Serao e Marotta, le piacevano gli atlanti su cui studiava mia madre e tutti i libri che le capitavano per le mani: diceva che la facevano volare, come gli aerei. Quando passava un aeroplano sulle nostre teste, sul balcone e sulla ringhiera, sul cemento dei palazzi e sulle colline di cemento, allora lei diceva, a volte forte, a volte piano piano: «Dove vai aereo? Portami con te».

Questo furono, e altro in comune non ebbero se non le due figlie.

Ma erano sopravvissuti entrambi alle loro vite e a me sembrava che o raccontavano tutte bugie, oppure tutto quello che avevano fatto poi del tempo che gli restava, gli andava perdonato d'ufficio.

Mentre Franca e Giacomo sfornavano mia madre e sua sorella, iniziò la sfortuna di zia Marta, perché le morí il marito, giovane e bello, lasciandola con due figli e potere nessuno, se non l'antica casa padronale che fu subito presa in ostaggio dal cognato, il quale prese in ostaggio pure lei condannandola a una vedovanza che pareva una clausura. Franca mi raccontava, prostrandosi assai per la sorella nata russa e finita siciliana, di questo cognato enorme, che si faceva sempre piú enorme mano a mano che lei allargava le braccia sulla testa, e lei lo aveva visto solo il giorno del matrimonio ma se lo ricordava: che uomo, il fratello dell'ufficiale, uno che lavorava al mulino di famiglia e quando gli operai davano di matto per lo scirocco o i muli si rifiutavano di fare la fatica loro, da solo girava la macina. E mi compariva, in quella camera da letto, tra lo specchio a tre ante e il comò con sopra le lettere di zia Marta, alto come l'armadio e scuro come i siciliani, mentre inchiodava sulla soglia della casa della vedova una pezza nera: e finché il vento o le intemperie non l'avessero strappata via lei avrebbe dovuto portare il lutto.

– Nonna, e perché di notte non se l'andava a strappare lei?

– E mica è brutto portare il lutto? Quando hai fatto due gonne e due maglie nere stai a posto tutto l'anno, non si vedono manco le macchie.

Ma io restavo ancora un poco sul letto mentre la nonna se ne andava a sfaccendare, contavo gli anni in cui zia Marta aveva vestito di nero, ed erano piú dei miei tutti, e anche piú delle mie dita, e da qualche parte mi facevano male quei colpi di chiodo su una soglia che non avrei veduta mai ma che vedevo ugualmente bene: tutto corroso dalla salsedine il portone antico, sotto il carraio di pietra, e conficcata nella carne della casa la pezza nera a muoversi nel vento.

Nello specchio a tre ante della camera da letto di nonna sbucava timida e femmina la testa di zia Marta, a controllare, senza farsi vedere troppo, come fosse il tempo, se si cominciavano a scorgere i figli sul viale del ritorno da

scuola, a che punto stava la benedetta pezza. Poi tirava a
sé i vetri, e io quei vetri, quegli specchi dell'armadio aprivo e chiudevo fino a trovare l'angolazione giusta, quella
che mi proiettava di qua e di là infinite volte per infiniti
numeri, io chiusa al centro davanti allo specchio fisso, e le
quinte attorno che si richiamavano l'una con le altre senza che io potessi contarmi quante volte, sempre più ver-
dognola negli strati del vetro, nel riverbero dell'argento,
quante volte fossi, ero, sarei stata. E chi.

# Due

Forse si sarebbe potuto intuire, percorrere a ritroso quei vetri e quelle immagini e vederci, tutti, quelli che saremmo stati oggi, in questo tempo nuovo e invecchiato presto. Si sarebbe potuto intuire cavando dal caravanserraglio della soffitta di mia madre le fotografie dei miei compleanni da piccola, che tutte parevano scattate a Carnevale. Non la torta né i regali erano per me importanti, quanto i compagni disposti a seguire le mie indicazioni. E i nonni, gli zii, le mamme: il pubblico. Mi regolavo sul momento: gli intrecci delle commedie che proponevo non erano complicati, quasi tutti mutuati da libri già letti, favole, storie che avevo sentito raccontare. E il sipario era simbolico: la tenda del salotto serviva solo per scomparire dalla scena, visto che tra essa e il balcone ci si stava a malapena in fila, l'uno affianco all'altro, senza ancora darci le mani, come molto piú tardi avrei scoperto che si deve fare. Mi regolavo sul momento: gli attori che c'erano c'erano e la storia si modellava su quello. Qualche volta un maglione particolare scovato nelle casse dei panni usati, o il modo in cui calzava una gonna da adulta a una mia compagna grassa, potevano determinare il finale. Mi pare di ricordare questo, guardando quelle fotografie di compleanni che sembravano feste in maschera, e di maschere che assomigliavano molto al pubblico che ci guardava.

In una fotografia Alessandro scoppia a ridere ed è in ginocchio accanto a me con una sciarpa avvolta in testa a mo' di turbante.

Non dico mia madre, sempre attaccata alla realtà, all'involucro biologico delle cose, ma mio padre sí, mio padre la cui esistenza tutta si poggiava su un valore metaforico che aveva eluso quello letterale, lui avrebbe potuto intuire che già a quei tempi lí, già in una generazione che non mi riguardava né mi conosceva, si stava iniziando a scrivere tutta questa storia.

Mio padre si chiama Claudio perché in uno di quei pomeriggi piovosi della città, quando all'improvviso il cielo si spalanca e butta a terra tutto quello che si è risparmiato nell'anno, Margherita e Riccardo si andarono a riparare sotto un portone.

Entrambi avevano i capelli ricci: Margherita per averli passati, poco prima di uscire, ciocca a ciocca intorno a dei cilindretti di ceramica calda, tutta la testa altera fasciata in un foulard di seta, e Riccardo per averglieli passati il Padreterno alla nascita, cosí biondi e ricci, come un putto.

E allora Margherita, che se li era visti abbattere dalla pioggia, tutta nervosa era, e Riccardo, sotto quel borsalino con cui me lo ricordo per ogni giorno che è campato, le diceva sciocchezze, sperando di farla ridere. Cosí raccontava, togliendosi le cuffie attaccate al televisore con una molla o, avanti negli anni, sfilandosi le cuffie a raggi infrarossi, ma sempre quello era il gesto dell'apertura a me, solo a me destinata. Ogni volta che io entravo, tornando da scuola con mio fratello che mi trascinava per una manica per darmi fretta e, tolto il grembiule e il fiocco, andavo a salutare il nonno, gli facevo toc-toc con la mano, bussavo a quella porta di suoni, e lui mi sorrideva. Salutava malvolentieri gli altri, anche mio fratello, che aveva lo spirito dei maschi, e quindi andava troppo veloce per piacergli. Si sfilava le cuffie, e io vedevo quel gesto come la promessa del racconto.

Sulla poltrona verde bottiglia, di quelle trapuntate da bottoncini di bronzo per tutto il bordo, si sistemava, in controluce nel vano della finestra, per vedermi bene tutta in faccia. Penso che si nutrisse delle mie espressioni, sentivo che andava avanti veramente solo quando sobbalzavo, o sgranavo gli occhi, o corrucciavo la fronte. Allora lí lui era sicuro di essere arrivato all'intento. Che era stupire.

Mio nonno insegnava italiano e latino in una scuola superiore di via Foria, e i suoi dettati senza punteggiatura erano la prova piú gravosa di tutto l'istituto. Ma nessuno, neppure il preside, aveva l'autorità per spiegargli che i tempi erano finiti, che il latino non lo parlava piú neppure il papa, che quello che prevedeva il programma ministeriale bastava e avanzava.

E io cosí stavo, sospesa senza punteggiatura mentre lui inforcava gli occhiali con l'amplificatore, quelli dei sordi, e girava la rotellina sulla stanghetta, come se dovesse ascoltare qualcosa. Invece parlava lui, e l'ascolto che si realizzava concreto, corporeo, era molto piú dentro di dove si produceva il suono, o molto oltre, per esempio oltre la sua sagoma in controluce, dietro i vetri, dall'altra parte di via Marina con le sue sei corsie, un'ombra di nonno senza prospettiva sulla caserma Bianchini, e da là sui container della MSC e da lí fino a San Martino.

Raccontava che le aveva fatto cosí sui capelli, a Margherita, per toglierle le gocce intrappolate. E lei si era arrabbiata ancora di piú.

– Aveva un brutto carattere già da allora, – annotava al margine. Ma lo diceva con un rispetto profondo, di chi ha riconosciuto da subito la Sirena, e senza tappi di cera e senza funi a stringerlo all'albero maestro, si è gettato a nuoto per raggiungerla.

Poi si erano baciati, e piazza Plebiscito non era lontana. Ma nemmeno la guerra, perché era l'aprile del 1946 quando è nato mio padre, e i suoi genitori, che sfollando in una campagna dell'avellinese avevano evitato la leva, le bombe e la fame, uscirono allo schiarire del cielo da quel portone che li aveva ospitati in due e una pancia, da poco sposi, con un arcobaleno nell'aria che sapeva poco di colori e molto di fulmini e pioggia e sabbia sulle strade, e si erano voltati a guardare l'insegna infranta dai proiettili per ricostruirne i segni. Con l'amore dei filologi avevano letto «Pension Claude», avevano sorriso pensando all'imperatore, all'etimo, ma se l'erano detto e ripetuto come un segno e non ebbero dubbi poi, che cosí si sarebbe chiamato se fosse nato maschio. Neppure il giorno del battesimo, quando per il brutto carattere che Margherita covava avevano allungato all'infinito la lista con nomi pretenziosi, nome, virgola, nome, virgola, e cosí via: Augusto, Filiberto, Andrea come il padre di lui, virgola, e Italo come quello di lei, virgola, e Mario come in realtà aveva sempre voluto lei, e l'aveva anche detto, ma quel giorno si era fatta colpire dall'entusiasmo, virgola. E che alla fine il prete spazientito disse: «E metteteci pure Gennaro», non trovando abbastanza Bibbia e forse manco abbastanza amore davanti a sé.

Questa storia dei nomi è una delle poche cose che so di mio nonno da giovane. So che aveva una mamma, che ricordo nella nebulosa di un pomeriggio lontanissimo, forse per il solo fatto che era la donna piú vecchia che avessi mai visto, ed era immobile cartapesta in un letto, con uno spruzzo di capelli canuti che sbucavano dalle coltri. E questa mamma, mia bisnonna, si chiamava Margherita, come quella che poi divenne sua moglie. Credo che mio nonno fosse un uomo molto attento ai segni, e a ragione maggiore a quel segno del segno che è il nome.

– *«Mia bella signorina, posso osare di offrirvi il mio braccio e la mia compagnia?»* – citava facendosi Faust. – E capii che era veramente Margherita perché mi rispose male... ma bella era bella e per fortuna era ancora signorina.

Della sua infanzia non mi ha mai parlato, sapevo questa e altre piccole cose che riguardavano un passato lontano di paese, di piccoli proprietari terrieri, campagne assolate con piantagioni di tabacco e case rurali e un colono, che mandava una volta l'anno mele vizze e cachi.

«Quello se la cava cosí, con una cassetta di frutta. Non ci paga l'affitto da venti anni», protestava Margherita livida contro il marito e i figli che non amavano la terra né il denaro per motivi opposti e simili: mio padre perché era comunista, e pensava che la terra spettasse al colono, mio zio perché sentiva Simon & Garfunkel, mio nonno perché pensava ad altro.

Pensava al fanciullino, oppure a certe poesie sconce di Trilussa, e al latino. Al latino, in latino piú di tutto. Se n'era fatto un punto di onore, che suo fratello era solo un maestro di scuola, e lui professore era diventato, sí, con una tesi di laurea su Orazio tutta in latino e prosa metrica. Professore per torchiare gli alunni nel dettato senza punteggiatura, ma soprattutto per raccontare la poesia. Aveva evitato la seconda guerra, giovanissimo, perché insegnava, ed era stato lasciato lí, in mezzo Napoli con il suo registro, a vedere di raccogliere studenti nelle macerie della città e speranza nelle macerie delle teste. Io davvero non ricordo che nonno Riccardo abbia mai espresso un'idea politica che non fosse un piccolo ripiego di comodo di fronte all'unica cosa che contava nella vita, cioè la poesia.

Cominciava cosí, in quella casa che stava pure sui libri di architettura della ricostruzione, affacciata per sempre sui granili I e II della città involontaria, i casermoni degli scampati ai bombardamenti, gli abbrutiti. Lí, se si guarda Rosi, o si legge Ortese, proprio in quel punto lí della storia e della geografia, e tutto il mondo può farlo da lontano, ma io piccina potevo da cosí vicino, proprio in quel punto lí dove cadevano come sfoglie le facciate dei palazzi e se ne pensavano di nuovi, dove il popolo si andava disperdendo per restare popolo altrove, lí stavamo io e mio nonno a dire poesia. È stato il primo uomo che ho visto piangere. Cominciava cosí: «*Hic modo coniunctis spatiantur passibus ambo: | nunc praecedentem sequitur, nunc praevius anteit | Eurydicenque suam iam tutus respicit Orpheus*», o erano Amore e Psiche o Giulietta e Romeo, o Lui e Margherita, e dove attaccava la voce lí attaccavano le lacrime: era una cosa sola il suo essere, per questo potevo credergli.

Si erano conosciuti da adulti, loro, lei collega di matematica, una delle prime donne laureate a Napoli, che portava nel suo curriculum di ricordi accademici un esame con Caccioppoli.

Era alta ed elegante, nell'evocazione di Riccardo, faceva lunghe falcate per via Nazionale per andare a scuola, che si faticava a tenerle dietro. Aveva cappellini e guanti anche se la guerra era finita da poco, ma si vedeva che era stata lontano dalla città, e indenne anche nella tragedia. Andavano al cinema qualche volta, e allora tornavano passeggiando per via dei Mille che riapriva le vetrine e i locali, che apparecchiava tavolini lungo i muri bucati dalle schegge delle granate, camminavano svelti sottobraccio con un leggero rumore di tacchi. Margherita aveva già ventisette anni e decisero di sposarsi presto. Ma lei la guerra l'aveva dentro, e mio padre fu figlio di quella guerra: l'unico pensiero dolce che lei mai ammise in mia presenza fu che Riccardo l'aveva amata davvero. In uno di quei pomeriggi dopo il consiglio d'istituto, quando lui la riaccompagnava a casa perché si preparasse, e aspettava ore nell'anticamera mentre lei dipanava dai pensieri e dall'armadio l'indecisione e le lane, lei all'improvviso uscí dalla stanza: lo trovò che affondava il volto nel suo cappotto, per sentirne il profumo.

Ma se lo concedeva poco, la nonna, questo pensiero bello: per un intralcio crudele dell'esistenza, che non era durato piú di un quarto d'ora, lei si sentí indegna d'amore per gli ottantacinque anni che seguirono, e non ci fu verso di vederla felice.

Aveva un fratello, da piccola, che poi era morto bambino mangiando una crema di latte andata a male, e questo fratello era bellissimo. Aveva gli occhi blu profondi ed era maschio in un'epoca in cui i padri si ritiravano a casa solo per gettare nella sera regole o terrore. Cosí sua madre si aggrappava molto a questo bambino, lo coccolava di continuo, gli accordava un privilegio di genere e uno di bellezza, e la piccola Margherita, ma abbastanza grande per non poter piú ottenere le stesse attenzioni del secondogenito, sentiva tutto questo come sentono i bambini prima che, crescendo, il rumore delle cose inutili diventi grancassa. Margherita mi raccontava: che un pomeriggio sua madre e sua nonna pensavano che lei stesse dormendo e non potesse sentirle, e cosí la madre aveva detto all'altra, forse sbirciandola, scostandole di poco il lenzuolo dal viso: «Poi non è tanto brutta».

Ce ne sarebbe stato a sufficienza per andare a piedi fino a Vienna a chiedere aiuto all'università, ma quella grancassa poi aveva preso a suonare e lei davvero, davvero seppe raccontarmi questo episodio da vecchia, ma mai seppe collegarlo a quella sistematica demolizione degli affetti che le costò il tempo della vita.

L'esame con Caccioppoli invece andò cosí, me lo diceva con la sua eleganza naturale, le ossa lunghe e affusolate delle persone che hanno sempre avuto da mangiare per generazioni, dritta nel busto che non aveva mai smesso di indossare, cittadina e fiera, pronta a sostenere il rischio di essere l'unica femmina iscritta a matematica da quando Federico II aveva fondato l'Ateneo. La fecero entrare in un'aula ad anfiteatro immersa nel buio, con le imposte accostate e la cui sola luce era giú tutto alle gradinate, sulla scrivania del professore. Lei iniziò a scendere e vide Caccioppoli illuminato chino sul registro, e due assistenti appiattiti sulle pareti ai lati di una grande lavagna.

«Mi trovi il limite per x tendente a zero di seno al quadrato di x per arctangente di x fratto e elevata a x meno coseno di x».

Non aveva neppure alzato gli occhi.

Qui mia nonna mi guardava, sorrideva sollevata (ogni volta mille volte), illuminava me e la lavagna: – Li sapevo fare benissimo, erano quelli che sapevo fare meglio.

Cosí scrisse, senza dubbi, senza fermarsi, fino all'ultimo, e quando il professore sentí che il gesso non graffiava piú la lavagna si alzò, prendendosi tutto il tempo che gli serviva. Lesse.

$$\lim_{x \to 0} \frac{\operatorname{sen}^2 x \cdot \operatorname{arctg} x}{e^x - \cos x} =$$

$$= \lim_{x \to 0} \frac{\dfrac{\operatorname{sen}^2 x}{x^2} \cdot x^2 \cdot \dfrac{\operatorname{arctg} x}{x} \cdot x}{e^x - 1 + 1 - \cos x} =$$

$$= \lim_{x \to 0} \frac{\dfrac{\operatorname{sen}^2 x}{x^2} \cdot \dfrac{\operatorname{arctg} x}{x} \cdot x^3}{\dfrac{e^x - 1}{x} \cdot x + \dfrac{1 - \cos x}{x^2} \cdot x^2} =$$

$$= \lim_{x \to 0} \frac{\dfrac{\operatorname{sen}^2 x}{x^2} \cdot \dfrac{\operatorname{arctg} x}{x} \cdot x^3}{x \left( \dfrac{e^x - 1}{x} + \dfrac{1 - \cos x}{x^2} \cdot x \right)} =$$

$$= \lim_{x \to 0} \frac{\dfrac{\operatorname{sen}^2 x}{x^2} \cdot \dfrac{\operatorname{arctg} x}{x} \cdot x^2}{\dfrac{e^x - 1}{x} + \dfrac{1 - \cos x}{x^2} \cdot x} = \frac{1 \cdot 1 \cdot 0}{1 + \dfrac{1}{2} \cdot 0} = \frac{0}{1} = 0$$

«Cancelli», le disse.

Margherita non ci poteva credere: era sicura di averlo fatto bene. Disse a mezza voce:

«Si risolve con artifici ricorrendo ai limiti notevoli perché è una forma indeterminata del tipo ze...»

«Lo rifaccia».

Ricominciò, piú incerta di prima, chiedendosi dove aveva sbagliato. Ma dopo qualche attimo la matematica le afferrò il polso e la accompagnò senza darle la fatica di pensare: tra la mano e il segno, tra gli occhi che leggevano e la lavagna vi era sí un pensiero, ma era un pensiero attivo perché automatico, sicuro perché strutturato. Che sgorgava da solo, facendo del calcolo e della donna, della materia del mondo e della sua rappresentazione, della legge dell'universo e della persona: la stessa cosa.

Quando ebbe il limite di nuovo tutto davanti a sé, Margherita lo guardò, e il risultato era uguale a quello di prima.

Caccioppoli aveva aspettato questa volta in piedi, dietro di lei.

Le porse lo statino indicandole un assistente: «Diciotto, buon giorno».

– Nonna, ma perché?

– Non l'ho mai saputo, ma che importa? Era Caccioppoli.

Altro del loro passato non emergeva. Quello che conoscevo io, e mi invitava e atterriva alla stessa misura, come quei film che da bambino ti ipnotizzano benché tu senta senza dubbio che te li porterai dietro ovunque, nei sogni e nella cartella, nel latte e sul volto delle maestre, era solo una lenta stratificazione di quello che doveva essere accaduto negli anni. In quei ventidue anni che avevano separato la nascita della Repubblica Italiana dall'uscita di casa di mio padre, si erano accumulati gli errori del disamore, come immense cataste in cui era impossibile ritrovare gli oggetti sepolti, e solo vagamente ci si poteva orientare passando per un angolo di quella casa (dalla vista magnifica, che correva dalle pendici del Vesuvio, lungo il mare, fino alle propaggini di Posillipo, eppure nel mio ricordo polverosa e tetra, oscura, bassa e costipata): l'errore stava lí, lí si era visto per l'ultima volta, fino a scomparire sotto altro e altro ancora, e a nessuno sarebbe venuto in mente di provarsi a mettere ordine o fare pulizia: ché a toccare le cataste tutta la casa sarebbe crollata soffocandone gli abitanti.

Riccardo era rimasto sordo uscendo da scuola, mentre passeggiava su via Partenope con i registri sotto braccio e i suoi impeccabili abiti tagliati su misura. La beffa volle che, molti giorni dopo la firma dell'armistizio, quel traliccio che non era crollato sotto le bombe si infrangesse sul lungomare a due centimetri dalla sua spalla, infrangendo anche il suo timpano sinistro, mentre il sempiterno borsalino gli riparò la testa dalle schegge, e lui fu cosí felice di non esserselo preso in testa, quel palo, che non sofferse mai della sordità. Anzi essa cominciò a scavargli una protezione, un rifugio, una grotta senza la voce di Margherita che rintuzzava e spargeva odio, senza il frastuono della città che moltiplicava le macchine e invadeva il cielo di reattori, senza lo strepitio degli studenti alla campanella, le chiacchiere vuote dei consigli di classe, il pianto di mio padre geloso per il fratello, la suocera corsa in aiuto della puerpera e triste anticipazione di ciò che sua moglie stava diventando, l'abbaiare del cane. Tutto ovattato, tutto fuori. Dentro solo il fanciullino, e piú tardi io che una volta a settimana andavo a bussare alle cuffie, mi calavo sott'acqua: toc-toc.

Nonno spese tutto il suo stipendio in camicie con i colletti su misura e panciotti di lana pettinata e raso, e borsalini assai, e spese ancora di piú nel bridge, che è la summa di tutto ciò che conta nella vita: la matematica, il tempo, la logica, la psicologia e la fortuna. Andava al circolo quasi tutti i pomeriggi, con la 124. I suoi spostamenti furono sempre piú radi, cerchi concentrici come le spire di un boa che lo stritolava, scuola casa circolo, poi, con la pensione: casa, poi una stanza. E non fu mai piú a Napoli. Era solo in quella poltrona, mentre si toglieva le cuffie, e poi andavamo ovunque, nel mare a conoscere la grande balena, o con un marinaio che sognava leoni senza averli mai visti, oppure a strisciare nel fango gelato delle storie private, o provare a stare sugli alberi. Come limoni, o come d'autunno le foglie. Alla fine dei suoi anni mangiava solo un prosciutto crudo tagliato in fette trasparenti da un particolare salumiere, e spaghetti al pomodoro, poi morí di cancro, e salutandomi lo fece come suo solito, baciandomi la mano.

Margherita, che aveva il suo personale allenamento ai sentimenti negativi, al punto da saper vedere solo quelli, affinò le tecniche della distanza che nel terreno di coltura della famiglia possono attecchire con tanto profitto. Il batterio era semplice e uno solo: non fu mai contenta. Era sempre in disappunto, sempre triste, sempre nera. E questo suo dolore, ché tale è vivere una vita senza mai sorridere, si proiettava ovunque attorno a sé come senso di colpa per gli altri. Sono triste pure oggi, vedete? Questo regalo di Natale non mi è piaciuto, si capisce anche se ringrazio? Non fu mai necessario parlare di depressione perché lei era attiva nel rifiuto, andava a scuola ed era severa e classista, insegnava agli alunni che l'anima è certificata dal fatto che i corpi dopo la morte pesano qualche grammo in meno. E poiché insegnava matematica e scienze, c'era da crederle. Non sapeva decidersi su nessuna cosa come se fossero tutte equidistanti, ma non tra di loro: da lei, che aveva distanza con ogni cosa, persino con i suoi due figli, che nell'ultimo tradimento esemplare della sua vita le furono tolti da sua madre perché lei «doveva lavorare», cosí che mio padre e suo fratello adoravano questa nonna che sapeva amare solo i maschi, e avevano in poca pochissima considerazione la mamma. E lei, che già era di quelle generazioni che i figli li baciano solo in sonno, si fece depauperare della sua ultima possibilità d'amore, cosí che il seme di crudeltà che l'aveva colpita si sparse al vento della seconda generazione, in una catena di infelici di cui io potevo essere un anello. E difatti, da qualche parte, in questi contrari, sentivo, come terrore e promessa assieme, che si sarebbe disposto il mio essere adulto.

# Tre

Se guardo le prime fotografie di mio padre e suo fratello avverto un disagio, sono davanti a una forma impropria, come quella che da un bruco porta a una farfalla o dall'iceberg porta al mare: devo pensarci che è cosí, arrivarci per raziocinio che loro sono loro e il ghiaccio è acqua solida, giacché non è possibile crederci in modo istintivo. Se non nell'essere i due fratelli dinoccolati e asciutti, con i muscoli che guizzano sotto la stoffa delle camicie leggere, questa estate 1962 a Sestri Levante, su una terrazza assolata, mentre mia nonna reclina il fianco su una sdraio – vestita da capo a piedi come Katharine Hepburn e con un paio di occhiali da sole che le rendono l'espressione nobile e arcigna come di certi rapaci –, poco si può riconoscere di quello che Claudio e Raffaele sarebbero divenuti. Sí, forse lo sguardo di Claudio diretto all'obiettivo, come a cercare di capire di quale focale si trattava, e il piede di Raffaele girato all'indietro nel mocassino morbido, come se dentro non avesse articolazione. Ho altre fotografie di mio padre da solo, nel secondo dopoguerra, quando era ancora figlio unico, e le ho scandagliate a lungo per trovare la verità interna, quella cosa che taluni chiamano essenza e che fa di un essere quell'essere e null'altro. In questa, a piazza Carlo III, con indosso un cappello da cow-boy a dorso di un piccolo cavallo rachitico non è lui: ché mai avrebbe cavalcato, pensando che non esiste supremazia nelle specie viventi e alimentandosi per tutta la vita solo di pesci e pasta, rammaricato anche talvolta di mangiare uno sgombro,

assai piú intelligente delle vongole. In quest'altra la madre
lo tiene per mano a piazza San Marco, e lui non si volta
a guardare la basilica bizantina, che sarà lo stile che piú
ammirerà di tutti i tempi, né possono essere sue le gambe
in calzoncini corti e calzini alti, lui che terrà su un jeans
a zampa d'elefante per venticinque anni rattoppandolo di
tanto in tanto. Anche il suo rapporto con i piccioni non è
naturale, perché gli sono indifferenti, mentre nel mondo
non vi è stato mai nulla di umano o non umano che non
abbia interessato mio padre fino a sviscerarne ogni particolare, a solverne ogni curiosità.

Ma quella che gli assomiglia meno di tutte è questa in
cui sta vestito bene, ha sedici o diciassette anni, e sembra uscito da un casinò di Biarritz, con l'abito a giacca e
quelle sue belle mani nodose e affusolate che tengono una
sigaretta accesa.

Quando da piccola guardavo queste foto avevo sempre la stessa sensazione: che bisognasse tornare di corsa
in camera oscura e ripescare il negativo, passarlo negli aci-
di giusti, lasciare che papà e zio Raffaele uscissero fuori.

Sotto il balcone dove mio padre è cresciuto, lungo le
sei corsie della strada nuova, mentre enormi sfere di me-
tallo agganciate alle gru dissolvevano in polvere gli antichi quartieri, sfilava ogni mezzo di locomozione. Questa
scena, di tram arancioni che scintillavano sulle rotaie e
a volte si fermavano mentre l'attrezzista correva a muovere la fune in un incrocio, o di filobus, che al primo in-
toppo potevano accendere il motore e fare una gimcana
per procedere, e poi di camion, gli articolati rossi che
entravano vuoti nel porto per uscirne dopo qualche ora
con i teloni tesi sul dorso, e automobili di ogni misura e
modello, e motociclette e motorini, e qualche volta pure
un cavallo, poi tutti i tipi di autoambulanze e macchine
di carabinieri finanza e polizia, e finalmente: i pompieri fiammeggianti. Tutta questa scena, a pochi metri da-

gli occhi, ha sempre costituito l'attrattiva principale di quella casa. Una generazione dopo, anche mio fratello si sedeva a terra sul balcone in estate, o dietro i vetri in inverno, e restava ore fermo cosí a guardare il quadro che si muoveva, tracciando le traiettorie sul vetro con un ditino unto che pareva invisibile e poi si manifestava quando la stanza diventava all'improvviso calda e i vetri si appannavano. E cosí avevamo una mappa del traffico di Napoli che mandava su tutte le furie la moglie del portiere quando saliva per le pulizie pesanti. Mio padre su quel plastico ci era cresciuto, e quel plastico lo proteggeva: mi diceva sempre che non c'è stata voce della sua infanzia, nel momento notturno di precipizio verso il sonno, che sia riuscita a essere piú dolce della ripresa delle auto al verde del grande semaforo di via Vespucci. Crescere su un incrocio è una fortuna: tutto viene scandito secondo ritmi precisi che continuano anche mentre dormi. E poi, di giorno, quelle file lunghe di automobili si arricciavano nella furia della città, si scavalcavano, perdevano l'ordine, prevaricavano e si manifestavano con le voci prepotenti dei clacson. Quando una febbre improvvisa, o uno di quei piccoli interventi chirurgici che i genitori fanno di nascosto senza che sia poi mai possibile ricostruirne la verità, mi costringevano a dormire a casa dei nonni, e dormivo cosí in quella stanzetta antica affianco a mio fratello, su quei lettini che erano stati di Claudio e Raffaele, sentivo proprio questo: che addormentarsi era dolce. Abituati noi all'abbrutimento sereno della provincia, al non rumore o al rumore uguale, allo scampanio del santuario di Pompei, a quel poco di città che subito diventa campagna, che pure se cresce nel numero di case e gente, resta per sempre paese; abituate a quello, le mie orecchie sentivano la città incessante come una promessa. Nulla è stato per me dormire a Manhattan al diciottesimo piano di un palazzo sulla Seconda, perché io la mia promessa l'avevo raccolta mille notti prima in un lettino di fronte

alla caserma Bianchini. Mi arrotolavo nel letto con questa speranza nuova del cuore: era la città che mi aspettava. Mi prometteva quello che sapeva di potermi dare:
che non si sarebbe mai fermata, che la strada era larga e
lunga e ci sarebbe stato posto, che qualcuno era sempre
sveglio cosí da non sentirsi mai soli, che viveva, era viva,
era viva e io stavo cosí vicino a una delle arterie che sentivo il sangue scorrere. Mi addormentavo.

Mio padre si svegliava con Igor, il cane lupo nero che gli
leccava la faccia. Questo fino a quando nacque Raffaele:
lí, la bisnonna cosí esperta in separazioni affettive, oltre
a permettere a sua figlia Margherita di insegnare e covare
sensi di colpa per tenersi lei i nipoti maschietti, pensò pure che quel cane non faceva altro che ridurre pantofole in
poltiglia, e cosí lo mandò a far uccidere. Mio padre dice
proprio cosí, questo fatto lo sa: non fu mandato a vivere
in campagna, fu mandato a uccidere. Del resto chi l'aveva
deciso aveva avuto mezzo secolo d'Europa per abituarsi
ai colpi di pistola. Cosí Claudio ebbe un fratello in piú e
un cane in meno, e fu spedito a studiare all'istituto Pontano, una scuola tenuta da gesuiti: dal preside all'ultimo
dei bidelli, tutti gesuiti che non ci si poteva sbagliare, e a
non starci attenti, a non essere figli di notai o di farmaci-
sti, ci si poteva pure diventare lí per lí, un gesuita, e parlare un bel latino tardo come quello del Pontano, anche
se nell'istituto all'Umanesimo non si era ancora arrivati e
vi albergava un alto Medioevo fatto di cilici psicologici e
mea culpa. Claudio seguí con profitto le lezioni, dalla prima elementare al terzo liceo classico, ed era il piú bravo
della classe. Si vede ancora dalle foto: che gli altri ridono
e lui no. Tutto andò cosí finché un giorno il professore di
storia dell'arte entrò in classe alla seconda ora, mentre i
figli della borghesia napoletana sonnecchiavano sui banchi
guardando il golfo, e disse che Dio non esiste. Lo spiegò
rapidamente, che era tutta una pagliacciata molto perico-
losa, poi li salutò con grande affetto, mio padre in parti-

colare: lo abbracciò, gli lasciò il suo indirizzo e lo pregò di andare al suo matrimonio.

«Quel prete spretato che ha rovinato tuo padre», diceva mia nonna Margherita quando ero piccina e mi voleva convincere a tutti i costi a fare la prima comunione, che mi avrebbe accompagnato lei in via Duomo a comprare un vestito bello. Ma la rovina non era tanto per la religione, che anche lei frequentava poco – ne frequentava un surrogato via tubo catodico alla domenica, davanti al televisore pure pregava un poco, e a intermittenza andava a controllare le tracchie nel ragú, però non l'assaggiava se il Santissimo Padre, da San Pietro, non dispensava prima l'ostia ai fedeli –, quanto per il fatto che lei avrebbe voluto il figlio medico, o almeno avvocato, e invece Claudio ci era andato sí al matrimonio del gesuita stonacato, ed era andato pure alle sue lezioni all'università, e si era alla fine laureato in architettura, con una tesi sul mosaico bizantino.

Perché mio padre a quella inesistenza del Dio ci aveva creduto, me lo raccontava ancora quel momento cosí semplice, come quando Copernico vide che a far girare la Terra poi tornava tutto; e dopo la maturità se ne andò a Parigi con l'unica cosa che aveva al mondo: una Canon a focale fissa, ma con una profondità tale che catturò se stesso in una teoria di specchi a Versailles, e la Nike con tutte le scale per raggiungerla, e anche uno strano vento nell'aria che stava arrivando e che, a dispetto dei doccioni di Chartres, andava soffiando da parecchio che non c'era nessun Dio, e quindi cercava di porvi rimedio dal basso: in questa foto con i contorni orlati c'è una ragazza in minigonna a grandi cerchi verdi, e le si vede la fica, perché non ha mutande. E la didascalia che Claudio appose a tergo recita: «1965, Ἄνθρωπος μικρὸς κόσμος».

Di ritorno da quel viaggio che gli valse la libertà, la felicità e la scelta, suo fratello Raffaele, che all'epoca aveva otto anni e dopo l'esperienza famigliare del Pontano stava seguendo la terza elementare in una scuola pubblica e laica, fece capolino da dietro i suoi pantaloni di velluto a coste, e tenendosi ben saldo a quel vento che muoveva gli abiti del fratello, disse ai suoi genitori:

«Da grande voglio fare il ballerino».

Poiché era innegabile che la musica fosse una delle muse, i miei nonni comperarono a Raffaele un pianoforte, cercando, come fanno i genitori, di convogliare in una direzione parallela a quella che vogliono loro, i desideri tangenziali dei figli. Andò cosí, che quando il maestro di pianoforte veniva a casa, Raffaele, invece di ripetere le scale, si alzava e attraversava la stanza sinuoso in fantasmagorici chaînés che non sapeva neppure che si chiamassero cosí o, con la schiena invertebrata dei bambini, si curvasse perfettamente in un'arabesque dando grandi capocciate al controbuffet di noce e inviperendo il maestro.

Me lo raccontava di corsa, mentre slittavamo sui marmi della Galleria, ripeteva il passo davanti alla vetrina di Barbaro, e mimava anche la faccia rubizza di quel maestro dell'infanzia, ora che era libero, lui con le sue scarpe di suola e io con le ballerine di vernice. Poi, attraversata la strada, si inchinava alle maschere del San Carlo indicandomi veloce:

– Mia nipote.

Che significava sia presentarmi orgoglioso, sia lasciar intendere che entravo di stramacchio, e mentre tutti facevano la fila agli ascensori noi salivamo le scale ricomponendoci, e io già mi sentivo piú borbonica ad appoggiarmi a quei corrimano di velluto intrecciato e a tenere la schiena dritta. Quando hai dodici anni e uno zio di venticinque ti aiuta a sfilarti la giacca e ti porge la sedia, è un fatto. Poi la musica iniziava. Io questo ricordo, i legni fare scintille e gli ottoni cacciare lucciole, e a quel grande spettacolo che erano la tela e i palchi, la scena e l'orologio d'oro al soffitto, la buca e il sipario, e le poltrone di velluto lí in fondo e gli specchi di ogni palco tutti rivolti verso il palco reale, si aggiungeva lo spettacolo dell'orchestra, che era quello della precisione e dell'arte: erano la matematica e la poesia uniti senza piú possibilità di scissione.

Tutte le mie scuole medie furono questo: andare al San Carlo con zio Raffaele, fila III palco 18 per la lirica e fila II palco 16 per la sinfonica. E se era lirica allora ci facevamo questa lunga passeggiata sottobraccio, prima di arrivare al teatro, da piazza Borsa dove viveva lui con la sua fidanzata, e dove mi avrebbero ospitato per la notte, a me che arrivavo con la corriera blu della Sita, e che a varcare le porte di Napoli già mi pareva di tornare verso me stessa. E durante queste lunghe passeggiate mio zio mi spiegava la trama dell'opera, mi presentava i personaggi e le loro voci, poi, una volta in scena, si accostava al mio orecchio e me li indicava, in linea con i violini; a ciascuna voce il suo strumento. Era una lirica senza regia, gli artisti stavano fermi come legni conficcati nel palco, ma nessuno sentiva il bisogno di altro. Ecco che io già sapevo tutto e mi riuscivo a orientare in quelle arie e quei recitativi, senza dover guardare da un binocolo o spiare il libretto con una lucina, cosí potevo ridere o commuovermi, sperare o intorbidirmi da subito.

Ma appunto la lirica aveva questo di inopportuno: che la trama era già fatta. Invece la sinfonica per me era un acceleratore molecolare, mi bastava la prima battuta e già sfocavo i musicisti, e allora mi succedeva ancora questo: che volavo. Dal parapetto del palco con una capriola finivo a mezz'aria, e rotolavo sulle teste degli spettatori in poltrona, sfiorandoli appena, poi risalivo su verso la tela ridipinta dell'Ottocento. E l'ovale del teatro, in tutta la sua cubatura d'aria, in profondità vastità e altezza, era la mia scatola cranica. Dentro passava un minore che mi faceva diventare seria e convinta, oppure un maggiore che mi portava al galoppo dandomi la certezza che tutto è affrontabile nella vita. E quando sugli applausi tornavo a sedermi ero soddisfatta, come ci si sente sazi a mangiare dopo un digiuno, o piú vicini al vero dopo una confessione. Battevo forte le mani e i piedi. Mi piaceva quel cerimoniale di entrate e uscite, e piú di tutti mi piaceva gridare *bravo* e *bis*. Una volta gridai a Muti «sei bello» e tutto il teatro si girò verso di me e il direttore mi fece un inchino.

– È veramente bello, – disse mio zio assai divertito, – ma l'esecuzione non è stata granché.

Un'altra volta decisi di tornare a Pompei, dove vivevo con i miei, la sera stessa, perché il giorno dopo avevo non so cosa e dovetti uscire prima per prendere l'ultima corriera. Mio zio disse:

– Non si lascia un *Cosí fan tutte*.

E aveva ragione, perché non ricordo affatto che cosa dovessi fare e feci poi, al posto di quella parte d'opera, mentre per sempre ricorderò l'ultima frase uscendo:

Infine, poiché la vita non procede in linea retta, non è quel flusso costante immerso nel tempo e nello spazio, o da essi fatto, quell'energia che vogliono farci credere certi presocratici, e invece si ferma, o si volta, o si sospende, o ti dà un colpo dietro la schiena oppure ti chiama e ti indica e ti dice:

«Guarda».

Allora una sera io guardai e vidi Lohengrin. Ero adolescente, cosí le figure che si muovevano sul palco mi apparvero immense al pari dei greci che studiavo al ginnasio. Perché essi erano pieni di dolore e ombre eppure sicuri, erano re ma supplicavano promesse, un cigno diceva piú di un nome. Mozart mi aveva raccontato gli uomini, però quella volta Wagner mi disse degli dèi.

Ma insomma, quell'ala del Palazzo Reale di Napoli che ospita e il San Carlo e la Biblioteca Nazionale, con il loro superbo giardino comune, sono un luogo cruciale sia per mio zio Raffaele sia per me.

Perché quel giorno del 1965, mentre un maestro disgraziato tentava di costringere Raffaele al pianoforte, mio padre, gonfio come una vela del vento raccolto a Parigi, andò, di nascosto dai suoi genitori, a iscrivere Raffaele alle selezioni per la scuola di ballo del Regio Teatro. E poi, allungandosi fino alla Biblioteca Nazionale, entrò. E nella sala XXI, seduta a un tavolo di consultazione sotto una bella lampada di bronzo dalla campana verde, vide una donna bionda dai tratti sovietici, che con un polso infaticabile e una grafia da bambina ricopiava un libro a mano sul suo quaderno.

# Quattro

Mia madre Lucia e sua sorella Michela portano tre anni di differenza. Ciò diede origine a questo aneddoto che, appena mi vennero le mestruazioni, mi fu raccontato: come a dire che i tempi erano cambiati assai, e che in fondo io, pur contorcendomi sul pavimento per il dolore, e provando, ogni volta che andavo in bagno, quella stessa repulsione che si prova all'odore del sangue del capitone sgozzato a Natale, in fondo io ero proprio fortunata.

L'aneddoto riguardava il primo giorno di mestruazioni di mia madre, quando lei in pieni anni Cinquanta, a metà mattina con la mutanda sporca, non potendo minimamente sospettare che qualunque bambina attorno a lei, superati i tredici, sapeva esattamente cosa le stesse succedendo, tornò da scuola terrorizzata e con uno strano senso di colpa annidato da qualche parte. E appena arrivò a casa si catapultò da sua madre in lacrime, e quella se la portò in bagno con fare sospetto. E in quel bagno le disse cosí e cosí, ma ci mise del tempo. E allora mia zia Michela, che aveva solo sette anni, si sentí tradita a morte che quelle due si erano chiuse dentro escludendola, e rimasta sola a tavola con una bottiglia di vino rosso, tutta se la bevve. Quando la mamma e nonna Franca uscirono dal bagno, la trovarono che passava in piedi da una sedia all'altra ridendo e piangendo.

Ma è come se in quei tre anni di distanza che ci misero a concepirle, i miei nonni, dietro invito di un sociologo, avessero messo a punto due tipi diversi di femmina italiana.

Lucia, non ho manco bisogno di andarmela a scovare in quelle belle foto piene di atmosfera e borse come ruote di stoffa e midollino, e sandali a zeppa di sughero, là mentre sta nel suo habitat: la campagna, a casa di una collega di università, e cianciano felici tra ragazze già donne, forse fotografate da un fidanzato o da un amico. Bionda con gli occhi blu della Siberia e un paio di occhiali scuri oltre i quali si vede lo stesso sguardo di oggi e di sempre: il sole arriva da dietro, dai suoi occhi, e, filtrato alla men peggio dalle lenti, infonde energia in tutto ciò che guarda. Faceva cosí fin da piccola: ammutoliva i genitori, pure se non parlava la sua determinazione arrivava comunque, nonna Franca me lo raccontava come un piccolo traguardo personale, di aver fatto una figlia che riusciva, senza dire nulla, a tener fronte anche al detestato marito. E pure i suoi colleghi, quando l'andavo a trovare all'acquario comunale dove avrebbe lavorato per trent'anni, partendo dalla pulizia delle vasche e arrivandone dirigente, mi raccontavano di come ipnotizzasse le tartarughe. Quando bisognava togliere la scheggia conficcata nella zampa allo scoglio di Frisio, quando la busta di plastica bevuta al molo Beverello dava ancora trenta minuti di autonomia, allora mia madre si metteva lí e le guardava fisso, poi cominciava a parlare: e quelle Caretta caretta sfortunate, che avrebbero potuto vivere i mari dell'Anatolia e la spiaggia di Lampedusa e invece erano arrivate boccheggiando nella città piú infernale del Mediterraneo, sentivano che c'era della sincerità e del coraggio, sentivano piú di tutto questo: che quella sponda su cui erano capitate era fatta cosí, di grazia e disgrazia, e ora era il momento di mettersi quiete e lasciar fare. Le convinceva. Poi si alzava e dava il via ai veterinari. Mi raccontavano che dopo, per una buona mezz'ora, Lucia andava vagando per la villa comunale contemplando le palme e le eritrina cristagalli che facevano cascate di fiori rossi. A volte attraversava e si andava a sedere sulle scale di Villa Pignatelli. Altre volte attraversava sul lato

opposto e si andava a sedere su un masso di granito di via
Caracciolo, la spuma che le bagnava le scarpe, e lasciava
che il mare assorbisse il disordine e lo sgomento, la preoc-
cupazione e il disappunto, come fa.

Aveva iniziato da piccola, era figlia di un operaio e il
suffragio universale esisteva da soli dieci anni, ma lei voleva studiare. Si affaticava alle medie fino a tardi, con i
libri comprati dalla madre grattando sui soldi della spesa
che il marito le passava. Non capiva fino in fondo, Franca, ma aveva quell'amore che è un vicario della comprensio-
sione, e arriva dritto alla necessità. Però si angustiava a
vedere quella figlia piccina e bionda – il che la faceva sem-
brare piú gracile ancora – che a notte inoltrata teneva gli
occhi aperti sui libri tentando di cavarne chissà cosa. Me
lo diceva sempre, nonna Franca, che non aveva cuore di
andare a letto prima di Lucia, e restava lí a sferruzzare,
ignorante senza poterla in nulla aiutare, se non in quella
ostinazione condivisa, alla luce della lampada, mentre Michela e il nonno ronfavano da ore. E se una parola importante che non si riusciva a decodificare dal contesto Lucia non la conosceva, non c'era in casa un vocabolario da
consultare, e cosí sempre piú sola rimaneva, nell'impero
dei segni, mentre le ore passavano. Poi quando la fatica si
faceva troppa metteva a dormire la sua bambola lascian-
dole molliche di pane sul cuscino per la notte e il freddo,
e andava a dormire anche lei.

Mia madre cercava la chiave. E non solo per se stessa, ma anche per sua sorella, per sua madre, per me e mio
fratello quando un giorno saremmo venuti, e per le stelle
marine, gli ippocampi e le tartarughe.

Dopo l'esame di terza media Lucia volle iscriversi al
liceo scientifico, perché tutto quello che le dava dolcezza
nella vita usciva dai libri di scienze e da quelli di matematica. Contro l'opposizione del padre, che avrebbe preferito
che la finisse lí, e con il pieno appoggio della madre, che
in cuor suo avrebbe preferito le magistrali, riuscí a iscri-

versi al Cuoco, una scuola costosissima benché pubblica, perché tutte le scuole sono costose se non hai neppure un libro in casa, e chi studia non sfama, bensí deve essere sfamato. Però ci riuscí, ed eccola qui, affianco all'unica altra donna della sua classe, in un'epoca di classi separate, ma in un istituto in cui si erano iscritte solo due femmine. Si distinguono bene sulla foto, lei bionda e sovietica, l'amica con i capelli corti: perché hanno un grembiule nero, mentre i maschi stanno vestiti come gli pare. Qui a destra c'è la professoressa che le ha cambiato la vita, perché è quella di italiano e latino, che la domenica e i giorni di festa invitava gli alunni a visitare i monumenti insieme a lei. Si vedevano un gruppetto di loro alla fermata giusta dell'autobus, e poi andavano, all'Archeologico e a Capodimonte, a San Martino e al Duomo, a Santa Chiara e al Maschio Angioino, in primavera alla reggia di Caserta a Pompei e a Ercolano, ma anche all'orto botanico e alla Solfatara e agli Astroni, perché quella professoressa insegnava sí italiano e latino, ma prima di questo li aveva capiti davvero gli autori della letteratura. E cosí nel tram numero 1 piazza Garibaldi - piazza Vittoria, tutta illuminata di gioia e humanitas, un giorno Lucia arrivò all'acquario comunale. Questa professoressa era molto esigente però con lei, e non la lasciava arrendere al fatto di non avere in casa il vocabolario. Mia madre, che il latino lo sentiva solo a messa e l'italiano solo a scuola, e qualche volta, in una versione disonesta, nel televisore di una vicina di casa, adottò questa tecnica: di studiare durante tutto l'anno le materie che le riuscivano peggio cosí da garantirsi la sufficienza. E lasciarsi rimandare in matematica e scienze, perché quelle le avrebbe riprese nei mesi estivi. E cosí, con la disciplina dei suoi occhi e un piano di lavoro di dodici mesi, fu sempre promossa, e agli esami di riparazione passava pure con 8 e 9.

Intanto Michela piú che una chiave si fabbricava il suo passe-partout: dopo aver ripetuto per due volte la seconda media decise di mollare, ed era cosí terrorizzata che i carabi-

nieri la venissero a prendere, come tuonava sua sorella, che
tutte le mattine dalle otto alle dodici si chiudeva nello stan-
zino a cucire vestiti con i ritagli di stoffa, cosí che quando
ad anno scolastico inoltrato si capí che i carabinieri non
sarebbero mai venuti e la scuola non si era neppure accorta, in un mare di abbandono scolastico, di quella goccia
scomparsa, lei uscí alla luce del sole e sapeva tenere l'ago
in mano. Franca, tentando di incanalare in qualche modo
quella pallida avvisaglia di un vago interesse, tanto pian-
tò picci e tanto sbatté i piedi a terra che convinse Giacomo a iscrivere Michela alla piú nominata scuola di cucito
di Napoli, che stava a via dei Mille. Per Michela non fu
un gran regalo, perché lei applicava la sua svogliatezza in
maniera sistematica. Aveva metodo. Certo alla scuola per
sartine incontrò altre sartine con cui chiacchierare, ed era
una buona scusa per non fare i servizi a casa e uscire e
passeggiare in quella strada da ricchi, ma insomma fu da
lí che una mattina scappò per andare a vedere un concerto
di Gianni Morandi allo Standa. Il 45 giri firmato – e comprato con tutti i soldi destinati all'occorrente scolastico,
per sé e per sua sorella, del mese di maggio – vive incorniciato sotto vetro sul divano della sua sala da pranzo, e
le costò parecchie botte, stavolta dalla madre, e un muso
lungo della sorella che dura fin qui. Ma ne valse la pena.
Non sta là, sul muro giallo paglierino del palazzo antisismi-
co, come ci starebbe una targa o una medaglia guadagnata
ai giochi della gioventú; ci sta come uno specchio dove lei
ogni tanto passa e si assicura: che è proprio lei. La preme-
ditazione nel rubare i soldi dalla cassetta della nonna Franca, quel filone dalla scuola di cucito, la corsa per tutta via
dei Mille, via Filangieri e via Chiaia, e sbucare davanti a
Gambrinus senza sapere cosa fosse, e dritta per tutta via
Toledo fino a entrare in un grande magazzino per vedere questo ragazzo capelluto e dinoccolato e chiedergli di
scrivere il suo nome sulla copertina di *In ginocchio da te*; e
poi tornarsene a casa e prendersi le mazzate e non potersi

manco sentire la canzone perché non avevano il giradischi. Questa cosa sta allo stato vitale di mia zia Michela come un mandala sacro a un buddista, e difatti tutti noi parenti ce lo siamo sempre indicati l'un l'altro con molto rispetto. E quando, l'anno seguente, Michela incontrò Simone, l'esibizione della reliquia le guadagnò molti moltissimi punti. Ma, piú che Gianni Morandi, su mio zio Simone poté lo straordinario seno di Michela, che era bionda come tutta la discendenza femminile della sua famiglia, ma l'ozio del corpo e una certa pacificazione mentale la rendevano rotondetta e appetitosa. Quando lui aveva provato ad allungare la mano nell'abbraccio, lei aveva detto:

«Dopo l'estate».

In realtà Michela prendeva tempo, perché il figlio della signora del piano di sopra le aveva calato dei cioccolatini dal balcone attaccandoli a un filo con una molletta.

– E io poi avevo ancora molto da imparare, – mi disse una volta a proposito di questa estate del 1965, durante la quale partirono tutti per Altavilla, dove intanto la zia Marta continuava a portare il lutto ma senza piú convinzione alcuna, la pezza inchiodata si era scolorita che pareva una cosa sola con l'intonaco, e il piú grande dei suoi figli sapeva già guidare una macchina.

Tutti i cugini passavano la giornata in barca portandosi pane e fichi d'india, mentre le due madri si lagnavano sulla terrazza, ma senza crederci troppo, e Michela restava in spiaggia e passava il tempo a farsi guardare in costume dal giovane bagnino. Lucia imparò a nuotare, e Michela no. Michela imparò a togliersi i peli dalle gambe, e Lucia no. Lucia imparò a scendere in apnea, e Michela no. Michela imparò a truccarsi, e Lucia no. Lucia imparò a guidare sia la macchina che la bicicletta e Michela no, ma imparò a farsi portare da un maschio su entrambi i mezzi e non ha piú smesso.

Tutto quel mare vero, dopo diciotto anni di una Napoli asciutta, ebbe su Lucia un effetto profondissimo, cosí che in quelle giornate lunghe di scirocco in cui avevano il divieto di uscire, e anzi dovevano stare in certe stanze della casa e non in altre, e a colazione gli veniva data granita invece di latte perché l'intestino non ne soffrisse, lei cominciò a studiare da qualunque libro fosse buono, per iscriversi a biologia marina.

Certe volte alla vigilia di Natale, quando ancora la passiamo insieme, mio zio Simone deve intervenire sulla frittura di gamberi e calamari, perché specie per il calamaro mia madre si prende troppa collera. Poi lo mangia, perché è una femmina pratica e ha gusto per la cucina, però se mentre li pulisce ci trova delle uova dentro si prende troppa collera, e allora il cognato viene a reggere il timone di quell'enorme transatlantico che è la cucina di Natale nel meridione d'Italia. E mentre succede questo, che lo zio frigge e la zia asciuga gli anelletti con la carta del pane, mia madre racconta cosí: che quell'estate ci furono delle mareggiate altissime che afferravano la tenuta di zia Marta dalla cascina alla casa, e quando poi il mare si acquetava tutti i cugini correvano al mulino, perché sul fondo, tra i palmenti e la tramoggia, rimanevano le stelle marine. Michela le metteva al sole per farle seccare e poi farsene collane, e Lucia faceva l'ultimo disperato tentativo di ributtarle a mare chiamandola *assassina*.

È per questo che fu molto molto strano quando a settembre mia madre alzò gli occhi su mio padre nella sala XXI della Biblioteca Nazionale. Si stava avvantaggiando sul corso di zoologia, perché non aveva soldi per comprarsi libri, e le prime fotocopiatrici a uso del pubblico sarebbero arrivate lí molto dopo, e cosí si era informata sui libri di testo e andava tutte le mattine in biblioteca per copiarseli a mano sui quaderni.

Ora stanno in soffitta: F. Silvestri, *Compendio di entomologia applicata*; A. Palombi, *Insegniamo sperimentando. Guida pratica per l'insegnamento sperimentale delle scienze naturali*; W. Luther e K. Fiedler, *Guida alla fauna marina costiera del Mediterraneo*, tutti scritti su quaderni color sabbia, dall'anno di edizione alla bibliografia.

C'era una lama di sole settembrino che attraversava piazza Plebiscito partendo dalla cupola di San Francesco da Paola e finiva dritta dritta, oltre i vetri madreperlacei, sulla nuca bionda di Lucia. Claudio aveva ancora in mano la ricevuta dell'iscrizione alla scuola di ballo del San Carlo e non aveva neppure scelto un libro da consultare. Ma si sedette lo stesso davanti a lei, senza vergogna la guardò, finché Lucia poggiò la penna e scosse il polso, allora alzò gli occhi.

Che a lui toccasse quella sorte da vittima di Medusa buona che toccava a tutti gli esseri viventi, non fu strano. Fu strano che Lucia continuasse a fissarlo, perché veramente, lo dice sempre: fino a diciotto anni lei non aveva proprio calcolato l'esistenza degli uomini se non in quanto esemplari maschi dell'Homo sapiens.

Ma io e mio fratello Alessandro, nel costruirci il mito fondativo, abbiamo visto questa scena di fianco: loro che si fronteggiano fissandosi senza poter dire una parola da un lato all'altro del tavolo scuro di noce. Libri a tutta altezza su tutte le pareti. In fondo un cartello incorniciato stampato in caratteri cremisi SILENZIO.

Finché nostra madre si alza, circoscrive il tavolo dal lato corto senza togliergli gli occhi di dosso, si china verso di lui e, indicandogli il collo, gli sussurra all'orecchio: «Ha anche il flash?»

# Cinque

Il primo regalo che Simone fece a Michela fu un giradischi. Da lí in poi, per ufficializzare il doppio fidanzamento, si organizzarono continuamente feste da ballo con i cugini e qualche collega d'università di Claudio e Lucia, che consistevano nel sistemare le sedie lungo le pareti e avere il permesso di fumare e bere in casa fino a mezzanotte. A volte ci si andavano a sedere anche i genitori delle due sorelle. Il nonno a controllare, la nonna sinceramente divertita. Claudio odiava la musica, specialmente quella italiana, e aveva un'avversione assoluta per Gianni Morandi; stava lí solo per Lucia, e prendeva fotografie in cui lei è l'unico soggetto a fuoco, e tutti gli altri sono spirali fantasmagoriche sullo sfondo.

«Io vostra madre la trovavo bellissima», ci ha sempre detto come unica didascalia a quegli album di pelle, con quattro angolini in cui infilare i lembi delle fotografie.

Qualche altra volta nell'album si vede lo zio Raffaele che cambia i dischi. Perché lui faceva queste sortite tossendo, ché le sigarette non si adeguavano al suo regime salutista, e piazzava Simon & Garfunkel. Era quello che ballava meglio, perché poi il suo esame di ammissione alla scuola di ballo del San Carlo era andato cosí, e questo racconto dev'essere il motivo per cui, nella mia graduatoria dei capolavori, *Flashdance* si piazza solo secondo dopo *Luci della città* – perché a me quel fatto che Alex cosí energica e carina si facesse raccomandare dal padrone non mi è mai sceso davvero.

Zio Raffaele andò di nascosto in teatro accompagnato da suo fratello, con una falsa firma dei genitori. Era l'unico senza la madre e il piú grande di tutti, anche se aveva solo otto anni. Tra l'altro era vestito molto bene ma in maniera inadeguata: non aveva le scarpette, non ne aveva mai avuto un paio, e quei mocassini che erano le sue scarpe piú morbide non furono abbastanza morbide. Cosí se li tolse, però scivolava sul parquet perfetto, scuro, lucidato dal passaggio incessante della pece greca. Allora si tolse anche i calzini, e cosí, a guardarlo nel boccascena, cosí come lo guardava la commissione e come li guardavano i parenti, tutti quei bambini all'improvviso su un palcoscenico, lui il piú alto di tutti, e magro, e l'unico scalzo, a guardarlo cosí era già il primo ballerino.

L'esame consisteva in questo: Carla Fracci diceva al direttore di scena un passo, il direttore lo ripeteva ad alta voce e i bambini dovevano eseguirlo mantenendo la posizione. C'era una pianista, nella buca, che accennava qualche nota su ogni passo, per dare l'inizio e il senso. Poi si passava a un altro e un altro ancora. Raffaele non conosceva i nomi dei passi, ma li sapeva fare, e cosí appena il primo dei trentacinque bambini iniziava a impostare il passo, lui caricava i muscoli e sentiva in che direzione doveva andare e in che forma. Era come trascinato dagli altri, si vedeva proprio che partiva sempre un momento dopo. Però poi il passo lo sapeva fare. Ma quello che lo fece diventare l'étoile prima ancora di cominciare gli studi fu che, quando la prova pratica fu finita, e tutti i bambini cominciarono a scendere composti per recuperare gli accappatoi e i genitori, la pianista per horror vacui accompagnò la pausa con il *Sancta Dorothea* di Liszt, che non è ballabile. E Raffaele cominciò a ballare.

– Ma a cosa pensavi?

– Perché lo hai fatto? – urlavamo elettrizzati assai io e mio fratello.

– Ho pensato che era l'ultima volta che potevo stare a piedi nudi sul palco del San Carlo, e volevo ballare.

– E papà aveva vergogna per te?

– Com'era vederlo da giú, papà?

– Era contemporaneo. Aveva questo di diverso da tutti: che portava il tempo. Il tempo suo.

Quando Carla Fracci lo aveva chiamato, in ordine alfabetico, per quelle piccole interviste che completavano la selezione, lo aveva accolto male, con stizza, e Claudio aveva pensato che suo fratello fosse stato considerato un piccolo esibizionista. Allora, poiché era l'unico adulto che lo rappresentava, e le altre mamme rispondevano loro per le figlie, aveva raccontato questa cosa: che i loro genitori erano degli insegnanti e che una volta erano andati tutti assieme al Museo Archeologico Nazionale, e lí Raffaele, che aveva sei anni, aveva preso la posizione di tutte le statue, del Laocoonte, di Alessandro Magno, e perfino dell'Ercole Farnese. Alcuni turisti avevano pure scattato le fotografie, di lui e della statua, perché erano proprio identici.

«E perché prendevi le forme delle statue, Raffaele?» aveva chiesto sempre piú stranita la Maestra.

«Per capirle. Per vedere se è possibile veramente che il corpo di un uomo può stare cosí».

«E ci può stare?»

«A volte serve una colonna o un alberello o una pecorella vicino per poggiarsi, ma sí, piú o meno ci può stare».

E quando dalla scuola di ballo era passato al corpo di ballo del teatro, e una sera fu Albrecht che si avviluppava su se stesso cosí come l'amore fa fare, dalla platea la figlia diciottenne di un nominato notaio sentí che voleva essere Giselle, e il pomeriggio seguente mandò a Raffaele cento rose rosse in camerino, con un biglietto intestato a cui era stato annullato il cognome e che diceva: «Ieri sera l'ho vista danzare. Spero di non essermi sbagliata».

– E che voleva dire, zio?

– Voleva dire che pensava che ero l'uomo della sua vi-

ta. Oppure che si era sbagliata, – tagliava corto Raffaele davanti ai nostri entusiasmi e se ne andava in un'altra stanza.

E la cosa che piú colpiva me e Alessandro, di tutto questo passato, era che gli innamorati nei racconti apparivano
sempre innamorati alla giusta distanza; i nostri si davano
addirittura del lei anche se avevano diciotto anni, mentre
poi ci voltavamo all'improvviso a guardarli, senza musica e senza abiti di scena, senza cerone e con le padelle in
mano, o con la schiuma da barba in faccia o nel mezzo di
una discussione anche giusta, ma mai elevata come quella
cabriole fermée, mai sentita come quegli abbracci rubati
nelle 500, mai incisiva come quelle fotografie, mai brucian-
te come quelle sigarette. E restavamo delusi assai, che io
mi chiedevo – e forse Alessandro no perché se ne scendeva
subito a giocare a pallone nel giardino condominiale – ma
io mi chiedevo quel tempo dove andasse a finire, e come
ci si potesse accontentare, poi.

Claudio e Lucia si erano dati del lei almeno per venti
giorni a seguire dall'incontro in biblioteca. Tutto il tempo
in cui lui con quella Canon aveva fotografato le illustra-
zioni dei libri di Lucia, i disegni dei pesci, le loro lische,
qualche tavola a colori che diventava stampa in bianco e
nero, cosí che lei aveva corredato i suoi quaderni. E poi
erano andati oltre, all'acquario comunale e, derogando alla giornata di studio, una mattina erano anche saliti sul
Vesuvio. Si erano affacciati nel cratere avvampando per
il calore e le esalazioni, avevano raccolto pietre di zolfo e
steli di ginestra, e poi avevano dato le spalle al vulcano e
si erano seduti a guardare il mare e mangiare pane e par-
migiana di melanzane. Ma prima di arrivarci, gli occhi, a
quel mare, dovevano poggiarsi a precipizio sui cantieri di
Torre del Greco e di Ercolano, che iniziavano la loro risa-
lita al monte con tufo e cemento, gli occhi dovevano accettare il disboscamento feroce del parco naturale, lo scempio dell'edilizia appaltata dall'amministrazione, della linea
di costa venduta tanto al metro, dei nuovi alberghi per i

vecchi criminali. E mio padre, che studiava architettura, disse due cose che ebbero un unico senso solo perché lei fu brava a collegarle.

Disse: «Or tutto intorno | una ruina involve, | dove tu siedi, o fior gentile, e quasi | i danni altrui commiserando, al cielo | di dolcissimo odor mandi un profumo, | che il deserto consola».

«Claudio, da quando mi dai del tu?»

«Ci vogliamo fidanzare?»

Da lí in poi fu tutto abbastanza lineare, perché erano una coppia ben assortita in quanto a chiarezza di intenti. Studiarono come monaci, tumulati in casa, senza perdere piú un solo giorno; quando mio padre si laureò riattaccò subito a studiare per i concorsi pubblici e nel frattempo mia madre si laureò pure lei con una bella tesi sulle stelle marine del Mediterraneo. Quando rialzarono la faccia dai libri si erano dati forse in tutto dieci baci, ma erano felici. Claudio nelle pause aveva convinto Lucia che Dio non esisteva, e lei fu contenta di saperlo, e che proprio un gesuita mandava questa ambasciata, perché la storia delle tartarughe alle Galápagos le sembrava piú romantica di quella della costola. Quando Lucia disse a sua madre che si sarebbe sposata in Comune, Franca rispose che poteva ben farlo, ma non avrebbe piú potuto baciarla sulla guancia. Quando Claudio disse a sua madre che avrebbe sposato Lucia, Margherita pensò che peggio di un figlio che faceva i concorsi pubblici c'era solo una nuora spiantata che faceva la zoologa. Entrambe chiesero loro se gli servivano soldi ed entrambi risposero piú o meno cosí:

«Siamo innamorati e comunisti, a che ci servono i vostri soldi?»

Perciò queste foto del matrimonio sono belle anche se non ci sono parenti: perché sono per chi capisce.

Mia madre sta con una minigonna che poi a me in adolescenza mi guardava storto se me ne mettevo una anche piú lunga, una minigonna svasata a trapezio tutta ricamata da zia Michela e i sandali a zeppa. Mio padre ha la barba che gli arriva sul collo e i capelli lunghi, cosí che non si vede nemmeno che non si era messo la cravatta, ma poi cosa ci avrebbe fatto la cravatta su quel pantalone di velluto a zampa. E che ci faceva con il velluto addosso se poi sotto ha pure lui i sandali?

Zio Raffaele non compare in questa foto, perché è lui che scatta, e questi sono i testimoni di nozze: per Lucia la sua collega di università che vive in campagna, e per Claudio l'ex frate con sua moglie.

Ma questo zig-zag che si vede qui, tra le spalle degli sposi, e che prosegue su a dividere le due teste sorridenti, e che prosegue anche oltre la fotografia per altri centodieci metri, è il Jolly Hotel, nato negli anni Cinquanta come Ambassador's Palace, che mio padre architetto difatti lo diceva, «essere ambasciatore di cotanto scempio», e mia madre pure, passandoci davanti durante le manifestazioni ci pensava, che il Vietnam era una giusta battaglia, ma pure quella cosa lí sulla capa era un problema popolare. Però poi non lo diceva mai, e andava avanti. Tanto a proseguire, che appena mio padre vinse il concorso come istruttore direttivo tecnico del Comune di Pompei, lí se ne andarono a vivere, credendo in un riparo dalla pestilenza della metropoli.

Ci pensarono Michela e Simone, qualche anno dopo, a fare un matrimonio come si deve, con i confetti e i risi, e i tulli bianchi e la navata addobbata, il nonno Giacomo che accompagnava la sposa all'altare e una grande abboffata. Michela dice sempre che loro il matrimonio lo avevano celebrato prima, nella 500, a differenza di mia madre che aveva aspettato che quel presidente della Circoscrizione li benedicesse. E lo dice con un tale orgoglio che, veramente, ad ascoltarla non si capisce mica il vero femminismo dove fosse di casa. Poi se n'erano andati in luna di miele: un viaggio organizzato a Parigi, di cui non ricordano nulla se non le stanze d'albergo. Ancora oggi sono una coppia che ha fatto dell'amore biblico il punto felice dell'esistenza, e a tavola, nei discorsi, si sente: che stanno meglio di Gandhi.

Simone aveva avuto il sopravvento sul ragazzo del piano di sopra – quello dei cioccolatini appesi – quando dopo l'estate invitò Michela ad andarlo a trovare al lavoro, che era questo: faceva il custode del sangue di San Gennaro. Il che prevedeva anche altre mansioni oltre allo spolvero delle statue argentee e la custodia della cappella e della teca con l'ampolla. Prevedeva per esempio che lui fosse al corrente di tutte le opere esposte in cattedrale, che ne sapesse dare informazioni di vario tipo ai credenti e ai turisti. Insomma, era un vero e proprio custode nel senso etimo della parola. E allora quando Michela arrivò con un vestito di organza che si era cucita da sola e poi leggermente scucita da sola sul seno, e gli occhi bistrati di azzurro come aveva imparato dalle cugine siciliane, e vide quella chiesa scintillante, gli ori del barocco, l'incenso che rendeva presenza all'aria, e lo vide, lui, tutto gallonato, che parlava assai bene, con cognizione, ricordando nomi e date degli splendori che quasi le offriva, allora lei capí che non c'era molta differenza tra una divisa da aviatore e una da custode. Che uno che ti offre oro incenso e mirra la prima volta, magari può farlo per tutta la vita. E cosí è andata poi, che lui le ha chiesto proprio ciò che lei finalmente voleva sentirsi dire:

«Vorrei che tu non lavorassi».

E talmente era vera quella richiesta che zio Simone l'ha sempre aiutata pure a lavare i pavimenti e le tapparelle, e almeno la domenica, come da tradizione edoardiana, ha sempre cucinato lui.

A loro, che non hanno avuto mai né dubbi né figli, è stata affidata la cura dei vecchi di famiglia, con quel sentimento di colpa e sollievo che va assieme in queste cose, da una parte e dall'altra, per l'accudito, per chi si offre, per chi si ritira e delega. Ricordo che pensai questo, una volta che zio Simone mi cacciò dalla stanza del nonno Gia-

como per mettergli la padella. Che stava pulendo il sedere di un vecchio che non era nessuno, se non colui grazie
al quale lui aveva ogni giorno accanto la donna che amava. Sia al funerale di nonna Franca che a quello di nonno
Giacomo, Michela e Simone seguirono il feretro tenendosi
sempre per mano. Guardai bene per tutto il tragitto: non
si lasciarono mai.

# Sei

Di mio fratello Alessandro, la famiglia, per la consueta aneddotica natalizia, o per intrattenere una delle sue nuove fidanzate, riserva sempre lo stesso ricordo: di quando scappò a piedi dall'ospedale di Pompei. Ci era finito ricoverato da adolescente per una forma endemica di epatite che serpeggiava all'inizio di ogni decennio per Napoli e provincia. O forse no, forse si era mangiato una cozza su una pizza, una volta che era andato con i compagni di scuola al Granatello: avevano fatto filone, il mare si stendeva quieto ai loro piedi, e lui non l'aveva mai confessato. Anche ora, che la sua assenza m'impone di scordarmi di lui, di non telefonargli mai per non sentire l'amore in quella sua manifestazione di fame che è la mancanza, anche ora svicola sempre dal discorso, ora che ha trentacinque anni, nega, dice che non lo sa, non se lo ricorda.

Me lo vidi arrivare in casa a metà mattinata, tutto sudato e debilitato, in pigiama e pantofole, perché era scappato in un cambio di turno. Per lui il medico di guardia aveva a che fare piú con le guardie che con i medici, diceva che oramai era guarito e che se fosse restato ancora lí si sarebbe ammalato di altre mille malattie. Piangeva, quando arrivò a casa, io stavo al mio primo anno di università e i nostri genitori erano al lavoro. Telefonai a nostro padre, in Comune, che subito si prese un permesso e, senza avvisare mia mamma, decise di tornare in ospedale e riconsegnare il figlio alle autorità in camice bianco. Ma poi accadde questo, che mentre si approssimavano alla recinzione esterna, e Alessandro piangeva tanto che papà gli ricordava perché ci avevano chiamati cosí, e che lui era un ἀλέξ ἀνδρῶν e non era bello che frignasse a quella maniera, mentre arrivavano, furono fermati da una gru che occupava tutto il cancello, e dal parabrezza, tirando tutti e due un po' su il collo, videro questo: che alcuni operai stavano picconando la U di USL e la stavano sostituendo con una A.

Fu cosí che mio padre scese e chiese spiegazioni al capannello in zoccoli verdi che approfittava del diversivo per farsi una sigaretta. E siccome mio padre era un architetto del Comune e sapeva parlar bene e con cognizione e questa cosa lo precedeva di molti passi, allora proprio il direttore dell'ospedale gli spiegò che da unità diventavano azienda e che lui sarebbe stato un dirigente, d'ora in avanti. Papà gli strinse la mano, poi risalí in macchina e voltò la testa al cavallo, e davanti a un Alessandro attonito e felice disse:

– Mo troviamo il modo di spiegarlo a mamma, però.

Il fatto è che ai miei, quei nuovi giri di parole che mettevano merce tra la gente una lettera alla volta, li lasciavano sgomenti.

Mia madre lavorava all'acquario comunale di Napoli, e pendolava su Pompei. Ogni mattina si svegliava alle sei, si godeva da sola l'ora della casa in cui tutto è possibile ancora, che in inverno con lo scuro fa sentire coraggio a uscire e fastidio di aria umida, e in estate regala l'unico momento di refrigerio dopo la notte afosa. Poi se ne scendeva per andare a prendere la Circumvesuviana e arrivare all'acquario prima di tutti, prima anche del custode. Il biglietto d'ingresso all'acquario costava mille lire e poi era passato a un euro, e questo prezzo simbolico, quasi un obolo del cittadino al lavoro, l'aveva sempre inorgoglita.

– Mamma, ma è perché è l'acquario piú piccolo d'Italia, è una fregatura, sono venti vasche... ci arrivano a venti vasche, sí?

– E sí, mamma, c'ha ragione Alessandro: ci stanno gli stessi pesci del mercato.

– No, al mercato ci sono piú specie.

– E sono piú vivi di quelli dell'acquario.

– C'è quell'orata, mamma, che ha centoventi anni.

– Veramente: l'abbiamo vista crescere, ti ricordi?

– È lei che ci ha visto crescere a noi.

– Non muore per pietà.

– Di chi?

– Di mamma.

– Mamma lasciala morire, dài, diglielo che avete i soldi per sostituirla.

– Mamma dài te la compro io un'orata nuova.

E lei stava zitta a compilare schede.

– Quanto siete spiritosi, – diceva.

Perché lo sapeva che noi eravamo cresciuti guardando tre cose: i pesci, il Vesuvio, e via dell'Abbondanza, e le amavamo in maniera fluida, come si amano solo le cose che vengono prima di noi e dopo di noi resteranno. Per me e Alessandro piazza del Foro negli scavi e il Monte Somma in primavera, i pini della Villa Comunale di Napoli e la Stazione Zoologica Dohrn erano naturali come il sole e le altre stelle: non li mettevamo in discussione e non ce ne meravigliavamo.

Avemmo tutta la vita un permesso, prima perché eravamo minorenni, poi perché eravamo studenti, per entrare con papà nella zona archeologica e studiare l'*opus latericium* e quello reticolato, salire a grandi passi sui marciapiedi rivestiti di cocciopesto, svicolare tra le colonne di turisti fino alla grande palestra. Ci davamo gli appuntamenti, quelle volte che veniva anche mamma e se ne andava a spasso con papà, dopo aver pagato il suo biglietto, dopo una lunga fila e noi che smaniosi l'aspettavamo e la prendevamo in giro, perché entravamo gratis e lei, che pure avrebbe potuto, mai l'avrebbe fatto. Ci davamo gli appuntamenti:

«Alle diciotto al teatro piccolo».

E diventavamo facilmente ancelle e gladiatori, matrone e schiavi, mentre il sole calava lento, opposto al Vesuvio, e gli ultimi turisti si affaccendavano sulle cartine per guadagnare l'uscita, e Alessandro invece andava a sedersi sicuro sulle gradinate semicircolari mentre io arrivavo sulla scena e battevo forte davanti a me con le mani per sentire il suono che tornava indietro.

Mio padre faceva un lavoro molto noioso, si occupava dell'istruzione delle pratiche presentate al Comune per ottenere titoli abilitativi, che erano sigle per noi indecrittabili, tipo DIA, o permessi di costruzione per la trasformazione o la realizzazione di opere architettoniche, e nei primi cinque anni di impiego aveva dodici cause aperte: contro i dirigenti per assenteismo, contro i colleghi che appendevano ai muri i calendari con le pubblicità delle autorimesse, e pure contro un sindacalista, che non so bene cosa avesse fatto.

Poi piano piano si era concentrato all'esterno, guardava bene le pratiche mentre gli altri le guardavano male, era un lavoro ingrato ma lui non ci faceva caso e, negli anni che seguirono, gli bruciarono due volte la macchina. Quella di nostro padre non era né abnegazione né una lotta contro i titani, semplicemente stava meglio a fare cosí.

E non era mai frustrato, mai si annoiava: aveva troppo da leggere e da dirci, da vedere e da comprendere ancora. Non si era mai assentato dal lavoro se non per sbrogliare un affare di noi figli, e anche quando si ammalava ci andava lo stesso: una volta gli venne una colica renale, uscí dall'ufficio, scese le scale, andò in farmacia, si comprò un antispastico, se lo iniettò nel bagno dell'assessorato all'urbanistica e tornò a lavorare. A chiedergli perché, si meraviglia della domanda.

Lui non contava niente, né quando, passati gli anni, gli proposero d'ufficio di fare il concorso a dirigente ci pensò per un istante. Semplicemente aspettò la fine dell'orario di lavoro, poi uscí e ci disse:

– Ce ne andiamo agli scavi a fare una passeggiata?

Quando ci penso ora, io che ho voluto la città in ogni sua forma, e adesso la attraverso, dilaniata e stanca, senza meta come è lei che va: senza direzione, solo un fumo continuo da San Giovanni e il mare immobile che si asciuga, il Decumano scuro che taglia, e spirali infernali di svincoli della tangenziale che stanno solo ad avvitarsi su se stessi; a pensarci ora mi convinco che quella scelta di provincia, che a me parve un'autoemarginazione, era un tentativo di salvezza: sanciva la possibilità di applicare un fare / non fare radicale a tutta la loro esistenza. Lottare nel proprio ambito, aborrire il compromesso anche quello semplice dell'abito nuovo o del fondotinta, militare l'idea nella famiglia e nella comunità, fare politica facendo la *polis*, questa cosa qui a loro fu ed è possibile, e tutti l'abbiamo chiamata, adottando una parola straniera con altre valenze, comunismo.

Era il giorno di Santa Lucia e si alzavano per tutto il vesuviano alte pire che dovevano scacciare la notte e portare gli occhi a vedere, come in ogni Santa Lucia, buio equinozio; i bambini stavano lí tutt'intorno ad aspettare che nascesse la cenere per cuocervi le patate, e a infilare spiedini da passare ai grandi. Io andavo spedita sui miei vent'anni verso un gruppo di amici, quando vidi il segretario del partito comunista di Pompei avvicinarsi al fuoco e cominciare a svuotarci dentro decine di tessere e carte, e pure un colbacco acquistato a Mosca. Io lo conoscevo bene per aver fatto molte volte i panini agli stand della festa dell'Unità, lí alla Villa Comunale, e mi avvicinai, lo toccai sull'avambraccio per salutarlo:
   – Vincenzo.
   Lui non capí chi ero, solo mi offrí uno sguardo un poco allucinato e cosí mi parlò, indicandomi le cose sue che bruciavano:
   – Non è che uno lo può fare solo perché è il segretario, non è che uno può farlo solo perché ha la maggioranza dei delegati dietro... Doveva pensare a quel ragazzo chiuso a

San Vittore che imparava a memoria Puškin per non impazzire.

E io non sapevo la storia di San Vittore, ma quella recente sí, perché era successo a febbraio e capii che ce l'aveva con quell'Achille tutto tallone, e capii pure che da quel passo lí non si sarebbe tornati indietro. Poi proseguii per raggiungere gli amici e perdermi in quella provincia strana, gravitante sulla metropoli, schiacciata tra il vulcano e il mare, tra l'autostrada e la linea ferrata, fitta di palazzi brutti senza possibilità di distinguervi dove spariva Pompei per iniziare Ercolano o Torre. Lí, come ai margini remoti di uno stagno, i miei sentivano arrivare piú lente e meno crespe le onde della barbarie trionfante.

Quando si andava a trovare mamma sul lavoro, tra le vasche e il mare, allora era nostro padre che doveva fare il biglietto, e cosí versava quell'obolo di mille lire e ne versava pure uno cumulativo per me e mio fratello, perché è vero che la Stazione Zoologica era parte del ministero dell'Università e della Ricerca, ma questo sarebbe stato sempre meno vero, e si capiva già trent'anni fa. E cosí nostro padre ci autotassava di cinquecento lire a testa che poi era lui stesso a darci perché, ci spiegava, cosí anche noi contribuivamo un poco al sostentamento di quei cavallucci marini e di quelle stelle, e di quei ricercatori che stavano sotto, nel laboratorio, a sanare le tartarughe. Anche nostra madre aveva il suo personalissimo rapporto con lo Stato: Alessandro mi raccontava qualche anno fa, quando ancora non era andata in pensione, e lui invece era emigrato da cosí tanto tempo che non si riusciva proprio a tenere a bada questo andare zoppicando al quale mi sentivo costretta, senza potergli piú dire di ora in ora, di giorno in giorno, mi raccontava che qualche anno fa, quando erano già arrivati i cellulari, nostra madre lo chiamava, lassú vicino a Milano: e lui vedeva comparire sul display il numero dell'ufficio preceduto dallo 081 e allora doveva richiamarla, perché nostra madre mai avrebbe fatto una telefonata privata da un telefono d'ufficio. E cosí Alessandro, che guadagnava poco ieri e guadagna oggi meno, non solo stava lí a combattere con le supplenze e a prendere il treno di notte anziché l'aereo, ma doveva pure preoccuparsi della bolletta del ministero dell'Università.

Noi portiamo un cognome molto diffuso al sud, che ricorda certi bambini esposti nelle ruote delle monache per scampare alla fame. (Questo cognome ereditato da Riccardo dava molto fastidio a mia nonna Margherita, che lo ometteva sempre e, anticipando di molto le leggi e i tempi, firmava con il suo cognome da ragazza anche i registri scolastici). Quindi mio fratello, che era bravissimo allo scientifico, e intrecciava con naturalezza la fisica alla filosofia com'era in principio, aveva lo stesso nome e lo stesso cognome di un nostro dirimpettaio, il quale ciuccio e rintronato tentava vanamente da due anni di prendere il diploma magistrale. Lo fermavano subito, questo Alessandro dirimpettaio: al tema di italiano. Cosí i due escogitarono una strategia: Alessandro nostro si sarebbe iscritto all'esame di Stato dei magistrali da privatista con una certezza quasi assoluta di finire nella stessa aula dell'omonimo, lí avrebbe fatto il compito ad Alessandro dirimpettaio e glielo avrebbe passato, poi avrebbe consegnato il suo in bianco, e arrivederci. In cambio, il ciuccio gli regalava uno Swatch. Alessandro nostro stava in quarto liceo e tanti argomenti della maturità non li aveva manco sfiorati, ma contava molto sul tema di attualità. Ci avrebbe messo due ore. Forse tre per scrivere qualcosa che avrebbe dato la sufficienza all'asino, e poi via al bar.

Invece andò cosí, che Alessandro prese a scrivere per il ciuccio una delle tracce comuni a tutti gli istituti: «Einstein, rivolgendosi ai giovani, disse loro: *Tenete bene a mente che le cose meravigliose che imparate a conoscere nella scuola sono opere di molte generazioni. Questa eredità è lasciata ora nelle vostre mani*. Riflettete su questo appello a voi indirizzato». Perché gli sembrò che fosse cosí generica che perfino il ciuccio avrebbe potuto rifletterci su.

Quando ebbe finito restò a scarabocchiare i bordi del foglio protocollo in attesa del momento propizio per il passaggio: l'altro Alessandro era a mezzo metro da lui, ma stavano centrali, e anteriori molto, sulla linea dello sguardo del presidente di commissione. E scarabocchiando scarabocchiando prese un altro foglio e si mise a sviluppare la traccia specifica per i magistrali: «La scoperta del fanciullo "teledipendente" è oggetto di sempre piú preoccupate considerazioni di pedagogisti, che vedono nella presenza del mezzo televisivo la causa di distorsioni educative. Il candidato affronti la questione». La impostò cosí:

> Da molti anni erano immobili in questa condizione: incatenati i piú e tenuti a guardare fin da piccoli solo verso lo schermo, essi assistevano a uno spettacolo continuo di immagini, ombre di cose reali. E quelle ombre erano l'unica verità di cui disponevano, e anzi, parlando tra loro, si confrontavano su di esse ritenendole vere. E cosí pensavano di parlare delle cose del mondo mentre parlavano solo di simulacri. Certo alcuni, noi, per essere figli di uomini liberi, o perché fortunati, o colti, riuscivamo a girarci dalla nostra condizione e, uscendo di casa e viaggiando, osservavamo la realtà quale era, e ci stupivamo della distanza che queste cose avevano tra di loro. Ma pochi tornavano dentro ad avvertire i compagni, e molti che lo facevano si sentivano dare dei fessi, tanto che quasi tutti restavano fuori e anzi, per distrarci, guardavamo le vetrine degli Swatch.

Non abbiamo mai saputo se Alessandro nostro prese sessanta alla maturità magistrale perché la commissione aveva riconosciuto il mito, o perché non l'aveva riconosciuto. Ma il settembre successivo, appena compiuti i diciotto anni, fece una ricerca di tutte le graduatorie libere in Italia, e partí per la Lombardia, scuola materna Primo Levi, dove, ancora oggi, impiega ogni sua energia a rotolare massi contro l'imbocco della caverna.

Seconda parte

# Sette

L'ultima vacanza estiva che ricordo di aver fatto con i miei genitori e Alessandro fu in Turchia: partimmo dalle sei moschee di Istanbul, passammo per la Cappadocia, e quando scendemmo nelle città sotterranee nostro padre si commosse nel vedere che impianto di aerazione tenevano nell'alto Medioevo, disse che era meglio di quelli che avevano costruito per la metropolitana di Milano. Poi eravamo arrivati a Konya perché zio Raffaele si era fissato che dovevamo portargli una ripresa dei dervisci rotanti e finalmente ci eravamo fermati in Anatolia, dove nostra madre aveva passato tutte le notti sveglia a fare i parti assistiti alle tartarughe insieme ai volontari del WWF, e nostro padre ci aveva accompagnati a Chimera a vedere i fuochi fatui, finché ci ritrovammo tutti e quattro una sera stesi sulla spiaggia, con Cipro davanti e il mare in mezzo a noi come un cuore vivo.

E allora mio fratello, che aveva quel moto naturale dei maschi per le sfide, aveva proposto una gara di poesie.

– Facciamo che abbiamo dieci minuti di tempo per inventare una poesia sulle stelle.

Mio padre disse che voleva parlare per ultimo, un poco perché era animato da quello stesso fuoco agonistico dei maschi e un poco perché stava già incatenando delle terzine di endecasillabi che si sarebbero piazzate solo al terzo posto, bollate come estetizzanti e vuote. Nostra madre con il suo spirito pratico parlò per prima, per togliersi il pensiero subito, e fece un paragone tra le uova delle tartarughe e le stelle, che non convinse nessuno e la fece scivolare all'ultimo posto. Di solito facevamo vincere sempre Alessandro, oramai era abitudine da quando era nato, e pure se mo era adolescente e forse aveva anche già baciato qualche compagna io ero pronta a ritirarmi in buon ordine come seconda. E difatti lui disse una piccola poesia in inglese con qualche forzatura grammaticale, ma insomma, era graziosa assai. Solo che io ero nella mia ultima estate di ragazza, l'anno dopo ci sarebbe stata la maturità e il viaggio con i compagni, e avevo molta voglia di pensare ai fatti miei. Il cielo su di noi era basso e luminoso, sotto la mia testa la sabbia calda e la promessa dell'estate, e cosí dissi:

– Non esiste un posto per la morte, ma ciò che vive vola nel mucchio delle stelle e si perde nel cielo profondo.

Schizzando, anche a giudizio di Alessandro, al primo posto.

E quando la mattina dopo a colazione mio padre mi disse che non ci aveva potuto pensare tutta la notte, che era proprio un verso stupendo, allora io posai l'alloro sul tavolo e lo spiegai, che era di Virgilio.

E mi scomunicarono e mi bollarono e mi radiarono e mi dissero che non avrei partecipato piú. E difatti: non partecipai mai piú. Eppure io ero brava a fare poesia estemporanea. Una volta a Natale ero stata costretta dalle maestre a imparare una poesia noiosissima su Gesú bambino e allora io, arrivato il 22 dicembre, me ne preparai un'altra da sola che fosse utile fino al 6 gennaio, per salire sulle sedie dei nonni e declamare e riceverne in cambio cinquemila lire verdi sotto il piatto della scarola imbottita.

Quando mio padre aveva tolto il saluto a suo fratello era stato appunto per una poesia detta in piedi sulla sedia, e non ce lo scorderemo mai quel Natale, perché Natale in famiglia a Napoli è appunto questa cosa qua: una partita di scopone scientifico piena di bari.

Raffaele, agli inizi della sua carriera, si era fidanzato con la figlia del notaio figlio di notaio che gli aveva spedito le rose in camerino, e avevano anche convissuto assieme, contro ogni regola prevista dalle classi sociali, in quella casa a piazza Borsa dove mi ospitavano quando andavo al teatro con lo zio. Era l'epoca, quella, in cui lei studiava per diventare notaio, e lentamente si andava disaffezionando a questo Raffaele che prendeva gli applausi davanti a tutti, celebrato dalle donne e dagli uomini, con un lavoro che richiedeva una continua commistione di corpi e di odori, che erano esattamente (la prima) la cosa che la figlia del notaio doveva scordare per studiare, e (la seconda) ciò che aveva evitato da generazioni per essere sconveniente in sommo grado.

E dunque iniziò a rifiutarlo, quel teatro che era stato il luogo primo del loro incontro, e ci spediva me, alla sera, adducendo come scusa terribili tomi da dover mandare a memoria. E poi era andata cosí, che piano piano tutte le coppie di amici iniziavano a sposarsi, a Chiaia, a Posillipo, e li invitavano a cena. E loro non potevano mai ricambiare perché la casa era piccola, da studenti, letti prestati e libri importati dalle case paterne, e inoltre Raffaele a quell'ora stava sempre in palcoscenico o in tournée o a fare prove. Allora la quasi notaia l'aveva finalmente capito che c'è una differenza profonda nel teatro, che sia prosa o balletto o lirica, ed è una differenza che taglia l'umanità in due come una ghigliottina, al pari del genere e dell'avere figli o meno. Ed è da quale parte stai e perché. E che se pure ella si era concessa questa poltrona in platea, e proprio a mezz'aria tra il palcoscenico e la vita si era innamorata. E che se pure quel ballerino era irraggiungibile e disponibile al tempo stesso, illuminato in quel preciso istante, e poi era andato a casa a conoscere i futuri suoceri, e li aveva invitati a seguirlo in eurovisione in un Gluck ballato con Pina Bausch. E se pure ella stessa si era vantata con gli amici di avere accanto un uomo bello come il sole e che sapeva parlare di musica e anche muovere con armonia le pelvi. Ebbene tutto quel fuoco non bastava mica a comprare duecento metri quadri a viale Regina Elena con il terrazzo che dà sul golfo e il portiere ventiquattro ore su ventiquattro.

Solo che lei questa cosa non gliel'aveva spiegata cosí, gliel'aveva infilata piano piano in casa, e poi nel letto, e poi nel piatto, e poi gliel'aveva fatta passare come vergogna, e poi come disamore verso di lei. E intanto, nei primi anni dello studio notarile tutto suo, senza mai dirgli apertamente che lo considerava un fallito, aveva ostracizzato la sua arte: semplicemente negandola. Un ballerino balla, e se non vai a teatro a guardarlo quello non esiste piú. Lei aveva fatto cosí, l'aveva reso trasparente. Finché il notaio padre, poco prima di morire, aveva comprato lui per i due sposi quella casa di duecento metri quadri a viale Regina Elena, e Raffaele si era dovuto arrendere, ed era diventato direttore di scena, inquadrato nell'organico del San Carlo, quattordici mensilità e sindacato. L'ultima volta che aveva ballato, anche se il tecnico non avrebbe dovuto e durante tutte le prove e le repliche un errore del genere non era mai stato commesso, il seguipersona l'aveva seguito fino a che era scomparso per sempre dietro la tela.

In fondo aveva trentacinque anni, gli dicevano molti, e prima o poi un lavoro da fare in completo di tweed e scarpe di suola se lo sarebbe dovuto procurare. E poi andare tutti i week-end a Capri nella casa di famiglia era bellissimo, e i bambini crescevano bene, con la barca e l'aria pulita, il primo a sei anni sapeva chiedere un cocktail di gamberetti per antipasto. Lo dicevano i genitori compiaciuti, e anche il cameriere era compiaciuto mentre lo serviva, perché tutti sentivano che quel bambino – si chiamava Riccardo come il nonno – aveva già le idee chiare. Ogni giovedí andavano da Zi Teresa al Borgo Marinari e il piccolo Riccardo chiedeva cocktail di gamberetti incespicando sulla k. Gli altri giorni lo cresceva la stessa tata che aveva cresciuto la notaia figlia del notaio figlio di notaio.

A Natale arrivavano tutti a casa nostra, anche la vedova del notaio, che in quei giorni non riusciva piú a rimediare né badanti né burraco. E la mia nonna Margherita, pure lei finalmente, da vecchia, aveva potuto godere della nuora giusta con la famiglia giusta: usciva per ultima dal bagno, dopo aver riposto con cura in una pochette da viaggio i cilindretti di ceramica scaldati in una pentola e poi messi sui capelli a fare i ricci; piena di cipria, e scuotendo molto la testa, si sedeva accanto alla consuocera lamentandosi di quelle terre lontane coltivate a tabacco, perdute sotto la noncuranza di figli e marito, e dietro la cupidigia del colono.

E cosí stavamo tutti contenti con le nonne che incitavano i nipotini piccoli a recitare le poesie, quando Riccardino si era rifiutato di salire sulla sedia. Allora, con molta dolcezza, la notaia gli aveva suggerito (con quel modo che hanno le madri di far finta di parlare con i figli per dire piuttosto a tutti) che l'aveva detta poco prima la poesia, in taxi mentre arrivavano, senza sbagliare nulla. Ma lui niente, si era intimidito, non se la sentiva, con quella famiglia strana davanti, senza la sua tata e neppure un cameriere a tiro a cui ordinare qualcosa.

– E lasciatelo stare, – diceva mia madre, – 'ste cose da *Libro Cuore*.

– Che c'hai contro il *Libro Cuore*? – si piccava nonna Margherita.

– E lascialo stare, – diceva mio padre.

Zio invece disse: – Io ho ballato *L'uccello di fuoco* davanti a duemilasettecento persone all'Opéra Bastille, e tu non riesci a salire su una sedia?

E Riccardino si era messo a piangere ed era andato in camera di mio fratello a prendere qualche libro e qualche pennarello. Ma il punto fu che mio padre chiamò mio zio nello studio, nel primo intervallo possibile: tra la frittura di pesce e l'insalata di rinforzo. Alessandro corse ad applicare il suo orecchio assoluto alla porta, mettendomi a fare il palo rispetto alla cucina. Claudio disse a Raffaele:

– Adesso senza far capire niente, facciamo aprire i regali a tutti e poi ve ne andate e tu in questa casa non ci metti piú piede.

– Che dici?

– Quello che ho detto: che tu hai fatto diventare Riccardino un piccolo consumista è triste, ma hai solo dato una mano ai tempi, e sono problemi tuoi. Ma che vieni a notificare la tua fine davanti a me che ti amo, a casa mia, questo no, non lo lascio succedere piú.

E non si erano parlati piú davvero per molti anni, se non per fatti pratici che riguardavano la madre. Poi la notaia figlia del notaio figlio di notaio, con buon istinto e tempi perfetti, aveva preso il vezzo delle terme di Pré-Saint-Didier, e partivano per Courmayeur appena finiva la scuola, cosí quello era stato l'ultimo nostro Natale.

# Otto

La cosa migliore del vivere in provincia è stata la scuola: avere tutti i compagni nel raggio di un chilometro e poterli vivere come degli amici veri, e non come dei colleghi di lavoro. Fino a che non ci siamo dispersi nei rivoli delle facoltà, siamo stati una compagine e una comitiva, una falange e una classe. Con le amiche di Pompei ho vissuto le tre esperienze piú formidabili di tutta la mia vita.

Superato lo scoglio del quarto ginnasio, quello contro cui s'infrangono molti natanti per non essere bene segnalato, non avere boe o appigli, restammo in pochi sopravvissuti, e la nostra amicizia si cementò in virtú di un'insegnante di educazione fisica che non aveva voglia di fare alcunché. Cosí mentre i maschi giocavano a pallone nel cortile, che con quattro passate di vernice bianca era diventato una palestra a cielo aperto, per poi tornare fetidi di sudore e scarpe da ginnastica tanto da dovergliele far trovare, a volte, appese per i lacci fuori dalle finestre; mentre loro giocavano a calcio senza alcuna regola, io, Sonia, Carolina, Anna, Nicole e Antonella, davanti allo sguardo vuoto dell'insegnante e alla sua sigaretta slim sempre accesa e attaccata da un prestigiatore al labbro inferiore, montavamo i pezzi di un musical. Avevamo poche ore: due a settimana e neppure garantite. Ma insomma impiegavamo il tempo sonnolente di settembre e quello frizzante di gennaio; a una latitudine in cui piove poco e niente, noi ligie all'ordine preparavamo scene, scrivevamo i testi delle canzoni e la musica e le coreografie e le battute e le entrate, le uscite, i tempi, le gaffe, con un pubblico immaginario davanti, e a turno una di noi *stava fuori* per guardare le altre. La regia era a firma collettiva, perché lavoravamo sulle improvvisazioni, e poi quello che era venuto meglio, o era piú pertinente con il tema, lo tenevamo. Il primo tema fu «Se viviamo è per marciare sulla testa dei re», perché avevamo un ottimo professore di inglese che ci aveva colpiti molto, e perché nel nostro immaginario il re era come il preside, e i cortigiani come i professori, cosí noi dovevamo armarci la mano, perlomeno di penna. Eppure quel preside non aveva fatto nulla di male se non essere profondamente e irrimediabilmente stupido, laureatosi solo perché si era sotto la guerra, e diventato preside solo perché si era sotto il CAF da dieci anni.

Poi quando avemmo finito tutti i pezzi iniziammo a montarli, poco per volta, sempre con la professoressa intontita dall'inattività, seduta sul motorino di uno studente, qualche maschio che passava a riderci in faccia, una pallonata con piú cattiveria sul sedere di Carolina, sputi mai identificati da una finestra del terzo piano, e qualche *shh – fate piano* piú indirizzato alla professoressa che a noi. Ma per quella valutazione di massima che riuscivamo a fare – e avere il polso del pubblico è fondamentale –, dal bidello che si fermava e rideva, alle insegnanti che sceglievano proprio quella porzione di cortile per la loro pausa, per finire con quei baccalà dei maschi che per venirci a vedere facevano a meno degli ultimi cinque minuti di mischia furibonda (la chiamavano proprio cosí, «mischia furibonda», significava che si picchiavano in massa e senza regola), e addirittura con la professoressa che verso marzo cominciò a dare segni di vita volontaria, insomma, lo spettacolo stava decollando. Ad aprile passammo tutte le interrogazioni per prime e molti pomeriggi ad aggiustare pezze comprate a Resina, lavarle, spidocchiarle, tagliarle. Poi iniziammo a trovare la roba, gli oggetti di scena, e alla fine dell'anno, mentre tutti si ingobbivano come cammelli sulle versioni, facemmo una prova costumi a casa di Nicole, poi una prova filata nel garage di Sonia, e infine debuttammo nell'ultima assemblea di istituto, scendendo in palestra dalla scalinata principale vestite da banda musicale, tutti gli studenti in platea e i professori nei palchi delle grandi finestre dell'aula magna. Ci diedero 9 in educazione fisica, e ci prendemmo gusto, per cui continuammo cosí ogni anno, fino al tema di terza che fu «Fatta l'Italia facciamoci gli italiani», in pieni diciotto, debutto a maggio per poi dedicarci alla maturità.

La seconda piú emozionante avventura della mia vita avvenne appunto in quell'ultimo anno di liceo, perché Antonella aveva preso la patente per prima e il padre le prestava la macchina qualche volta la sera, e cosí ce ne andavamo girando per l'entroterra e ci sentivamo, nella 127 giallo ocra, come nel *Grande Gatsby*, o in *Thelma & Louise*, né piú né meno. Giravamo per le sagre di paese, e le processioni, e ci fermavamo a mangiare nei portoni durante le feste patronali, o cercavamo la pizza piú buona o la trattoria piú conveniente, e cosí una sera, tornando verso Pompei, avevamo preso un aperitivo alle falde del Vesuvio, in un bar abusivo affianco a un albergo abusivo recintato con muri antiproiettile da parere turrito. D'un tratto un elicottero si abbassò molto rapidamente sulle nostre teste sollevando polvere e patatine e tovagliolini in un turbine per poi scomparire dietro la recinzione, tanto che noi avevamo chiesto di quale boss si trattasse e ci avevano riso proprio in faccia: era solo un matrimonio e noi i soliti studenti che giocano a fare i giornalisti, e difatti appena si era spento il rumore delle pale si era sentito un boato: «Viva gli sposi!» Tornando da quell'aperitivo eravamo rimaste bloccate in un traffico strano per quell'ora e quel giorno, e su una strada di importanza nessuna, una di quelle statali che attraversano i paesi diventando esse stesse paese. Era buio e la strada poco illuminata e nessun essere vivente che ci passasse, ma dopo qualche minuto ferme nell'abitacolo a chiederci che fosse accaduto, Antonella accese gli abbaglianti e vedemmo che la macchina davanti a noi era vuota e cosí quella piú avanti ancora e cosí via per tutta quella fila di macchine che stavano ostruendo il passaggio, come se all'improvviso un cataclisma avesse costretto i guidatori ad abbandonare i veicoli e mettersi in salvo. Quando una macchina a fari accesi ci aveva incrociato nel senso opposto e le avevamo fatto un cenno, forse impaurita anch'essa non aveva neppure rallentato. Cosí cercammo di addossare la 127 alla meno peggio contro un muro e cominciammo a camminare in fila indiana, tra le macchine abbandonate e il guardrail, verso dove la strada portava, che si vedeva essere una piazza di paese, perché in lontananza ci pareva di scorgere piú luce e anche qualche brusio, o forse era il vento. Però noi dovevamo trovare almeno una cabina telefonica o un bar che fosse ancora aperto, per avvisare a casa di non preoccuparsi. E camminavamo e non c'era davvero nessuno, manco dove poi erano iniziati i palazzi e la strada era piú piacevole, nessuno a camminare, nessuno ai balconi, luci dappertutto spente nelle case. Finché, illuminati da lontano, vedemmo una massa enorme di uomini e donne costipati l'uno sull'altro che guardavano tutti verso una stessa direzione, che era, svoltato l'angolo di una piazza di pietra stretta e lunga, un palcoscenico illuminato nel buio come un'astronave appena atterrata nell'entroterra campano. E sul palcoscenico c'era Nino D'Angelo, minuto e biondo, con le guance scavate e una voce che non si capiva mica da quale cassa toracica arrivasse, che cantava *Napoli* mentre un intero paese in visibilio saltava e dava forza alla voce con la voce, urlando: «Quei ragazzi della curva B».

Allora tenendoci le mani come una corda, per non perderci, e dimentiche di tutto – della casa e della macchina e della cabina telefonica – ci facemmo spazio tra le teste e le spalle, fino a guadagnare le transenne e cantare a perdere il fiato e le sue modulazioni *'Nu jeans e 'na maglietta*.

Quella notte in macchina aggiungemmo Nino D'Angelo alla lista delle persone piú potenti di Napoli, quelle che secondo noi se si fossero candidate avrebbero vinto le elezioni: lo scrivemmo terzo, dopo Maradona e il cardinale Michele Giordano.

Quando ci si lasciò dopo il liceo e si emigrò in massa sulla città, chi piú contenta chi meno, chi pendolando e chi iniziando la vita autonoma, la vacanza restò per molti anni ancora il momento per tornare a essere compagine. Cosí accadde quel meraviglioso agosto, quando andammo a Gallipoli, ospiti del marito di Nicole.

Avevamo preso in affitto una villa di tre piani che dominava la spiaggia, sul lato lungo del paese, e l'ozio era totale, scandito da poche regole, chi fa la spesa, chi cucina, l'ultimo spegne la luce. Non ci chiedevamo a che ora ci saremmo svegliate né il contrario, e a chiunque voleva venirci a trovare, un fidanzato un amante o un amico, bastava attenersi alle regole per essere trattato con quello stesso grado di fiducia che albergava in noi stesse.

Una mattina tarda, mentre ci trascinavamo con i giornali verso la spiaggia, vedemmo un gran passaggio di macchine blu e scorte della polizia di Stato, e l'edicolante ci disse che era arrivato il presidente del Consiglio. Aveva scelto, per le sue vacanze, una masseria bianca, circondata da ulivi secolari, alla fine di un promontorio che aveva un solo accesso, cosí che i servizi segreti l'avevano giudicata un luogo sicuro. Vi avrebbe trascorso l'estate con la sua famiglia e i suoi famigli.

Questo ci rovinò non poco la quiete vacanziera, giacché questo ex presidente dell'IRI faceva lunghe passeggiate in bicicletta per tutta Gallipoli proprio nell'ora in cui io e Nicole andavamo al porto piccolo a comprare il pesce, e c'era sempre tutto un codazzo di curiosi, e simpatizzanti e detrattori, e poi polizia transenne e giornalisti che sbucavano ovunque. Andavi in una pasticceria e trovavi un giornalista, in un bar e trovavi un poliziotto, solo nelle chiese si stava bene, che avevano un barocco fresco di tufo che da sempre bloccava il caldo del sole e la sgangheratezza dell'uomo. E dunque la considerazione, tornando con la frittura di paranza verso la parte nuova del paese, era che benché fossimo circondate, noi, dal presidente del Consiglio, che invece era solo, e benché lui fosse piuttosto incline ai bagni di folla, e sorridesse spesso e volentieri, però di fatto era inavvicinabile e alcune piccole cose che era in nostro dovere o almeno diritto chiedergli, tipo perché mio fratello Alessandro era dovuto emigrare ad Alzano Lombardo per fare il maestro di scuola materna, ecco: non gliele si poteva chiedere mai.

Allora organizzammo un piano. Il nostro ospite autoctono insieme a qualche altro fidanzato dell'epoca fu incaricato di fare tutti i sopralluoghi possibili tra la villa e gli itinerari soliti del presidente, mentre noi trascorremmo tutte le sere, dopo cena, mentre Sonia lavava i piatti, con grandi bottiglie di vino a chiarirci sulle cose importanti che volevamo chiedere, e in che tono porre le domande, e foglio alla mano annotavamo, sera dopo sera, annotavamo sempre. Cercammo di partire dal particolare per rivolgerci all'universale, partimmo da noi, per arrivare agli sbarchi degli albanesi.

A notte fonda tornavano gli strateghi.

– Quanto tempo vi serve?

– Mezz'ora.

– Solo mezz'ora cinque pagine di domande?

– E mica ci deve rispondere subito: ci deve rispondere nel corso del governo.

– Ma manco a leggere ce la fate…

– Ma mica leggiamo: due di noi l'impareranno a memoria.

– E per sicurezza ce ne portiamo una copia.

– Eh, non so come farete a portare la copia.

– Perché?

– Perché ci si può arrivare solo via mare, dalla spiaggetta di Rivabella.

– Cioè il vostro piano è che noi ci dobbiamo presentare a casa sua?

– Se volete parlare mezz'ora con il presidente del Consiglio, o gli chiedete udienza a Roma oppure arrivate via mare alla masseria.

– E vabbè prendiamo un pattino.

– See, adesso la polizia vi fa arrivare con il pattino...

– E mica ci possono sparare addosso.

– No, però vi fermano subito.

– E allora?

– E allora a nuoto. A un gruppo di donne che si fa una nuotata ad agosto mica si può dire niente...

– Gesú... è lontano?

Partimmo dalla spiaggia di Rivabella che ci guardavano tutti, perché stavano indolenti a bere granite di limone e birre ghiacciate mentre noi avevamo questi uomini vestiti accanto, cosí tesi che manco si spogliarono. Io ricordo di aver sentito le note di *Goldfinger* mentre mi toglievo il copricostume e mi attaccavo una tavoletta galleggiante alla caviglia con una cordicella, ma non posso giurare che fosse la radio del lido. Antonella era quella che sapeva nuotare meglio e si era offerta di farci da chiatta di tanto in tanto. Anna aveva una cintura con una bottiglietta d'acqua e Sonia aveva protetto una copia in bella della lista di domande nella custodia di una macchina fotografica subacquea.

Non ho mai piú nella mia vita nuotato cosí a lungo. Antonella sí, Antonella lo fa tutte le estati, che parte a un certo punto e quando dopo due ore stai per chiamare la guardia costiera la vedi tornare tutta riposata. Ma qui valeva la compagine e cosí ci eravamo dette: «con il tempo di tutte», e quando ci mettevamo a dorso vedevamo il marito di Nicole in piedi tutto vestito sotto il sole sempre piú piccolo.

Poi fummo in mare aperto, solo noi sei donne e i gabbiani alti, e nel silenzio del sole agostano Carolina, che stava facendo la carriera diplomatica, ci raccomandava:

– *Presidente*, lo dobbiamo chiamare *presidente*, non *onorevole*.

Quando doppiammo il promontorio la masseria era già a pochi metri e iniziò un viavai di bellissimi giovanotti abbronzati tutti in divisa estiva bianca che a gran voce ci chiedevano:

– Dove andate?

E noi facevamo cosí con la mano, ché non avevamo fiato per farci sentire fin lassú. E poi i maschi ci avevano detto di mantenerci larghe finché non avessimo visto proprio il presidente, e di prendere piede solo allora, e noi cosí facevamo. Ma tutto quel correre di poliziotti su e giú aveva risvegliato la famiglia che si apprestava al pranzo, cosí li vedemmo in piedi che ridevano, anche loro vestiti di bianco e ombreggiati da teli bianchi, sul patio, e allora ci avvicinammo e dicemmo:

– Presidente...

E ridevano tutti, poliziotti e famiglia, perché noi veramente non potevamo fare paura a nessuno e anzi forse dovevamo apparire belle, cosí determinate e stanche.

– Presidente, le dobbiamo parlare, ci basta mezz'ora, possiamo pure aspettare...

No, fece lui con il dito indice e un grande sorriso, e a quel punto un poliziotto aveva sceso gli scogli che dalla villa portavano alla superficie del mare e, noi poggiate alle tavolette, ci disse che non ci avrebbero fatto salire né mo né mai, e di tornarcene indietro. Ma si vedeva che gli stavamo simpatiche e poi c'erano tutti i famigliari del presidente in piedi che parlavano guardandoci ben disposti e sorridenti, e cosí brigammo ancora un po', tanto che quello risalí su a consultarsi, ma la risposta fu ancora che no, non era cattiva volontà ma proprio un reato: non si poteva e basta, e di tornarcene indietro, tanto nel pomeriggio il presidente avrebbe fatto la consueta passeggiata per il paese.

Allora scese sua moglie sugli scogli, ci disse di tornare indietro, però via terra ché non ci volevano sulla coscienza, e fu gentile, ci indicò il punto in cui non c'erano i ricci e disse al poliziotto di aiutarci a salire e di riaccompagnarci dal viale con la macchina elettrica perché eravamo scalze e con i piedi spugnati. Sonia allora le passò la custodia impermeabile con la lista delle domande, ma il poliziotto la intercettò.

– Marò, è un foglio di carta... – disse lei, e forse non glielo diedero mai, ma mentre il presidente scompariva nella penombra della portafinestra Carolina gli urlò:

– Almeno Öcalan.

Allora quello si fermò come sagoma e la guardava, e Carolina spiegò:

– Presidente, le raccomando Apo, lo faccia per amore e per amore di giustizia.

Poi ce ne andammo con il poliziotto che faceva il cretino e una bottiglia di limonata che ci aveva mandato la first lady.

Quella fu la nostra ultima azione democratica. Perché nel frattempo quasi tutti erano alle prese con liste di collocamento e lavori precari, io fuoricorso vedevo filosofia ribollire come un paiolo, e avevo cominciato a frequentare un palazzo enorme, bellissimo, incombente su di un parco, che chi l'aveva occupato aveva chiamato centro sociale Diego Armando Maradona Montesanto, e dalla mattina alla notte, per ogni piano e ogni angolo del parco, c'erano discussioni e azioni, teatro e *body dharma*, assemblee e assemblee su precedenti assemblee, i martedí delle mamme e le mamme del quartiere che si autosegregavano dalle mamme borghesi, e via dicendo, come in ogni centro sociale d'Italia.

# Nove

Il Jolly Hotel non era mai crollato. Parecchie cose non erano andate come noi volevamo, e sí che ci eravamo concentrati molto e in molti momenti, tanto da tutta Napoli si vedeva, brutto come le ingiustizie, violento come i conquistatori e sporco come il resto della città. Ogni istante di silenzio era quello buono per dirsi in testa la preghiera:

> Apri la terra e sprofonda
> lascia che i muri tocchino l'onda
> lascia in frantumi vetro e cemento
> tende e salotti li spazzi il vento.
> Rendi il tuo nome a quello che eri
> folle giullare già fino a ieri
> ora il tuo ghigno risuona feroce
> contro di te la nostra voce.

Ma quello su cui contavamo davvero erano i momenti collettivi.

Organizzammo l'*Attacco psichico*. Avevamo convocato piú popolazione possibile, pure ciclostilato un manifesto. Antonio suonava la tammorra e io e Pino ci eravamo incappucciati.

Stavamo seduti sparsi sulle scale del parco, che era piú tufo che parco, però comunque era un posto per vedersi, e Pino aveva scritto su un pezzo di carta questa preghiera. Poi avevamo preparato una lista di persone contro le quali indirizzare il nostro attacco psichico. Sí, ovviamente c'erano i fascisti e la polizia, che ci voleva sgomberare un minuto sí e uno no, ma soprattutto c'era un professore universitario in questo elenco, me lo ricordo, un grande storico pieno di pubblicazioni, che era veramente convinto che il Jolly Hotel potesse servire per farvi un archivio. Lo andava scrivendo sui giornali. Il vero problema, si sentiva, era questo. Piú il professore che lo sbirro.

Pino aveva letto i nomi da maledire su questa lista, poi ci aveva chiesto di concentrarci e di ripetere i ritornelli tre volte. Li urlavamo con tutto il fiato possibile, che era quello della convinzione. Tendevamo le mani in avanti, contro il Jolly Hotel, come se dalle dita ci partissero dei missili. Poi seguivano dieci secondi di silenzio in cui restavamo a guardare. Sulla destra le colline intasate dai palazzinari digradavano come potevano verso il mare, la vigna di San Martino era una nuvola viola di buganvillee e il tufo sotto di noi ancora caldo. Dieci secondi per aspettare il crollo. Poi nulla. Poi si ricominciava.

Io non dico che ci abbiamo creduto. Ma dico che c'è stato un istante almeno, in cui il dolore collettivo si sospendeva, e forse era sull'ultima sillaba, quando i polmoni tesi allo spasmo non lasciavano spazio ad altri pensieri. E allora entrava la speranza.

Non era Pino ad aver scelto il Jolly Hotel come simbolo, si era autodeterminato da solo. C'è un limite a tutto, anche all'arroganza. Il Jolly Hotel l'aveva superato. Pretendeva di farsi guardare. Era il monito costante, l'umiliazione inferta a ciascuno di noi: che tutto si faceva e non c'era stata legge possibile, e possibile raziocinio, a fermare quello scempio.

*Io posso*, diceva quello svettando sui suoi trenta piani. *E tu non ci hai potuto.*

Poi un giorno Antonio era stato assunto come portiere di notte proprio là, e cosí ci aveva chiesto di fare la preghiera a novembre, nel mese di chiusura.

Fu un novembre pazzesco, freddissimo, si pregava appena si poteva.

Al cenone dell'ultimo dell'anno Antonio riuscí a farci entrare, quattro o cinque di noi, Gianni stava con una olandese che parlava inglese, e me l'appiopparono per tutta la sera per garantirle la conversazione. Eravamo imbucati ma eleganti. I tavoli si dividevano tra uomini d'affari, presumibilmente single con qualche accompagnatrice rimediata, pochissimi turisti, qualche piú o meno camorrista e qualche piú o meno politico.

A mezzanotte i fuochi furono totali, e noi dalla terrazza del roof-garden li dominavamo tutti, tutti. Se ne crollarono il Vomero e i Camaldoli, si incendiò via Caracciolo, i Quartieri erano sommersi dal fumo. Noi eravamo piú in alto. Piú in alto di tutti e avevamo bevuto vino buono, gratis. Pino giocava a fare Nerone, aggiungeva le esse e le emme alla fine dei sostantivi, ma il crepitio era forte e non si sentiva niente.

Verso l'una Gianni mi guardò. Verso le due scese un silenzio antico, i polveroni si abbassarono e rivelarono le macerie, quelle di sempre. Politici e camorristi e accompagnatrici, alle nostre spalle, facevano un trenino che parlava di Charlie Brown, i clienti veri erano andati a dormire e qualche turista fortunato a fare l'amore.

Si faceva la fila per prendere gli ascensori quando Gianni mi tirò per il braccio: – Andiamo a piedi.

Il Jolly Hotel sono trenta piani. Tra il quindicesimo e il quattordicesimo mi disse che con l'olandese c'era stato in estate, e quella proprio mo era venuta per le vacanze di Natale, a ricambiare la visita.

Tra il quinto e il quarto cominciammo a baciarci e smettemmo al secondo, per ricomporci: ci lasciammo senza dirci nulla, che era una promessa, tanto l'olandese, da Napoli, sarebbe ripartita.

Noi, a Napoli, si restava.

E mentre rimettevamo i piedi a terra, le suole delle scarpe sulla ceramica dei cessi lanciati dalle finestre, Pino disse: – Guagliò il Jolly Hotel è fantastico: è l'unico posto di Napoli da cui non si vede il Jolly Hotel.

Eravamo comunisti, non ho dubbi.

Non in quel senso che raccontavano i miei genitori, che i veri comunisti non si facevano le canne, che ne avevano prese di mazzate i compagni a Licola negli anni Settanta, quelli che avevano portato un po' d'erba. E le mazzate le prendevano dal servizio d'ordine interno. Noi canne ce ne facevamo a morire su al parco, prima della preghiera, non eravamo comunisti in quel senso là: dicevamo che chi è bello è sempre bello, e lo dicevamo cosí bene per averlo detto Saffo, e dicevamo anche che non dover pagare il fitto doveva essere una gran bella fortuna. Ma che bellezza e ricchezza non potevano essere le discriminanti.

– Essendo io brutto e povero non posso che darti ragione, – mi spiegò Gianni la notte della Befana, in una Uno blu che mi aveva prestato mio fratello e con cui avevamo definitivamente riaccompagnato l'olandese alla stazione. Davanti c'era Mergellina e i chioschi di taralli e birra che noi senza dircelo sentivamo un po' di troppo. E poi lí dentro, nell'abitacolo parcheggiato davanti al mare, ci mettemmo insieme come si mettono insieme le persone che dividono veramente qualcosa.

Chi voleva chiamarmi, lo faceva sul telefono di casa, la casa che dividevo con Gianni, quarantadue metri quadri nei quali avevamo soffocato la fretta di andare a vivere da soli. Avevamo anticipato gli affitti al proprietario vendendo vecchi mobili di famiglia, casse per la biancheria, sponde in ferro battuto rimediate nei garage. E contavamo su uno stillicidio di lavoretti saltuari, coltivando intanto i sogni e la fretta, lui di iscriversi a un albo e riuscire quindi a far per se stesso il lavoro che svolgeva già da anni per altri, io a finire gli studi, tanto avevo capito cosa mi piaceva davvero, di quella doppia diecina di esami a filosofia che avevo scalato, c'era solo una cosa che mi aveva colpito davvero: le viscere di un teatro.

Ma chi chiamava a casa mia era a casa nostra che chiamava, sapeva di poter trovare me o Gianni, indistintamente, che condividevamo un fatto e quarantadue metri quadri. Posso dire che ho amato Gianni perché quando lo sentivo in imbarazzo una spina mi entrava in gola e avrei voluto difenderlo con le mie armi, che erano di piú delle sue. Ero piú bella e piú giovane, ero femmina, avevo studiato meglio, i miei genitori erano dipendenti statali.

Mentre sua madre era rimasta vedova giovanissima alla periferia della metropoli con una bambina ancora al seno e nessuno stipendio, nessuna pensione. Viveva in una casa anni Sessanta semiaffossata nella strada, ma dignitosa, che invece di dar sulla via dava nell'interno di un parco, con quell'equivoco del sud che chiama *parchi* i condomini circondati dall'asfalto e chiusi da un cancello.

La sua casa aveva gli strati della vita.

Non andava mai in vacanza, una volta aveva accettato di tenere un canarino tutto agosto per la signora del terzo piano, e poi non aveva voluto piú darlo indietro con grande sollievo dei proprietari. E piano piano quella che un tempo era stata veranda era divenuta voliera, e cosí la casa di Maddalena si sentiva forte, prima ancora di vederla, annunciata dai cinguettii senza sosta, come doveva essere nelle residenze orientali dei sultani.

Poiché non era mia madre, ma solo la madre del mio compagno, quando la trovavo sporta fin oltre la vita dalla balaustra, per aspettarmi, avere il tempo di calar la pasta prima ancora che posassi la mano sul campanello, non mi dava ansia, anzi, posso dire con gratitudine che non mi sono mai sentita accolta da qualcuno, nella vita, come da Maddalena. Il tempo che seguiva erano saluti, l'asciugamani pulito, dirmi come stavo e come stava lei, che Gianni era a minuti, ma non avrebbe mangiato il primo. E il piatto arrivava a tavola insieme a noi. Ho sempre creduto, e Gianni con me (ma lui non poteva ammetterlo con tanta vivacità, poiché si trattava di sua madre), che se Gianni non era in carcere come il suo compagno di banco lo doveva a questa magia del piatto che arrivava nell'istante preciso in cui ci si sedeva a tavola.

Maddalena stava alla porta di un medico di base: per ogni persona che entrava lei dava un numero, e in cambio ne riceveva mille lire. In realtà ne sapeva molto, quasi piú del medico. Aveva imparato ascoltando, non era ignorante: era la vita che era stata molto fetente con lei, uccidendole presto un marito con una malattia da nulla. Il medico che aveva accompagnato suo marito in ospedale il giorno in cui morí era quello per cui ora «lavorava». Gli alleviava molti impicci: le vecchine che venivano tutti i giorni solo per sentirsi confortate erano parecchie in periferia. Fuori pioveva una Secondigliano cupa, le strade erano organizzate per concorrenza: in una solo alimentari, in un'altra solo concessionari d'auto. Maddalena sapeva misurare la pressione, scrivere le ricette, indicare le dosi delle gocce da prendere la sera per poter dormire qualche ora, annichilirsi, abbindolarsi, dimenticare il degrado. Sognare i portoni nobiliari con il carraio alto e gli stemmi di ferro smaltato dell'infanzia, la luce sghemba tra gli aranci dell'estate, quando salivano le macchine a noleggio per le residenze estive dei ricchi. Le masserie con la puzza dello sterco. Di questo avevano bisogno le vecchie, e di qualche pomata per le varici, e Maddalena questo preparava, prima ancora che arrivasse il dottore.

Io lo sapevo che ad ascoltare si impara, quando si hanno orecchie: in teatro facevo la stessa cosa.

– E dici, jà, raccontami un poco.

– La tesi?

– No, quello lo so che sei brava. Il teatro. Ti hanno assunta.

– Sí.

– Ed è pesante?

– Noo, solo gli orari sono scomodi.

– Vabbè ma quello è per mo mentre trovi il lavoro che ti piace, racconta, jà.

Dicevo, mentre aspettavamo Gianni a tavola, dicevo la prima volta che ero entrata a teatro da dipendente, da «interna», che non avevo dovuto spiegare alla porta, che il portiere della guardiola di dietro mi aveva salutato senza farmi fare anticamera di citofoni. Entrare in anticipo con i vestiti buoni e avere un armadietto per spogliarsi, per cambiare la seconda pelle della giornata: essere ancora piú interna, piú dentro. Stare in teatro dopo pranzo, quando è ancora presto pure per la pomeridiana.

– Non ti dà fastidio che è una divisa? – chiedeva Gianni preoccupato per me, che avevo gli esami da finire, che tutte le sere faceva le undici ad aspettarmi là fuori, che forse si sentiva in colpa per non poter pagare da solo l'affitto.

– No, è il modo che ho per starci, non ci bado.

Era il modo per non essere notata. Era il contrario di quello che faceva la gente: entravano in ritardo con i cappotti migliori, truccate le signore, i signori con i colli fasciati di seta. Un'aria rétro era concessa agli abbigliamenti, e i giovani artisti venivano anche loro stravaganti, pantaloni di tuta e scaldamuscoli, divisa da laboratorio al pomeriggio. E capi buoni arrivati dalla Francia sdoganati da un negozio a piazza San Domenico: la sera anche i giovani si vestivano per farsi vedere, diversi. Io ero ribaltata rispetto a loro. Non ero in platea seduta, né sul palco a contar passi. Mi anticipavo di molto sull'entrata delle altre maschere e salivo le scale, aprivo la porta di un palco a caso, mi sedevo nella penombra e guardavo il tecnico che controllava i puntamenti a sipario aperto. A volte un grande attore inondava il proscenio con la sua voce, poi mi notava, nella penombra, si allarmava con qualcuno alla sua destra.

– È solo una maschera, – gli rispondevano, e lui riprendeva. Io invisibile.

Judith Malina e Pirandello, Peter Brook e Nekrošius, Shakespeare, Ionesco e Carmelo Bene.

Io ero dentro. Li spiavo. Poi lavoravo. Poi trovavo Gianni ad aspettarmi in motorino fuori e tornando a casa gli urlavo forte la trama, per farmi sentire oltre la marmitta bucata, e oltre il casco se era inverno, dicevo le parole, l'opera e le omissioni. Quello che avevano sbagliato, quello che era cambiato rispetto alla generale. Dove l'attore era con il testo e dove andava da solo. Registi inesistenti e capocomici ossessivi.

Il pomeriggio tardi mentre ribaltavo i velluti delle poltrone, 428 volte, ripetevano la esse di rosa e di casa /ca§a, ro§a/ bella sonora la facevano sentire, e poi dicevano – bla bla bla –, arrivavano a falcate in un punto preciso segnato in bianco sul legno e lí riprendevano /co§a, ra§o/. Oppure ce ne erano altri che arrivavano all'ultimo a tutto. O che facevano come me prima di essere chiamata all'esame, in un angolo, da soli, con gli occhi fissi davanti, a dirsi a mezza voce e veloce veloce tutto un pezzo.

E la sera, sotto la luce verde delle uscite di sicurezza, in piedi sull'attenti, vedevo accadere il miracolo, dell'attrice con il cappello che già era un'altra, e riempiva quel bla bla bla e quei passi. Un riflettore la seguiva sempre, anticipando il movimento del braccio che indicava, e poi l'oggetto indicato, facendolo venir fuori dal buio pesto che tutto chiude.

Un pomeriggio, era presto, ed era stato là che qualcosa si era rotto e insieme qualcosa cominciava. Io cercavo l'amministrazione sulla scala sbagliata, e nel tentativo di ricondurmi a una scala conosciuta avevo spinto un portellone antipanico e mi ero trovata sotto il palcoscenico durante una rappresentazione.

Ce ne avevo messo per capire dove fossi, perché era molto buio: era un bosco, ma i tronchi non finivano in rami e chiome e foglie, piuttosto in assi e botole, ma fitto era, in numero degli alberi, e altissimi a putrellare il palco. Erano disposti in file precise e dopo un po' riuscivo a muovermi a mio agio, perché quello che avevo sempre creduto uno specchio del foyer rotondo dava invece luce verso l'interno. Non potevo intendere le parole pronunziate dagli attori, ma sentivo i loro passi, intuivo le parti di quella *Tempesta* che avevo già visto tante volte, a seconda dei tacchi. A volte il legno sulla mia testa scricchiolava. Su di me si costruiva il mondo. E io ero dentro come non sono e fui mai. Al principio una vertigine al contrario mi faceva girare tra i tronchi, toccarli, correre di sotto ai movimenti degli attori, guardare le carrucole pronte a far le botole, contavo le quinte. Sentivo: qui è la barca, qui il tirso dell'isola, ecco Calibano.

Poi mi acquietai, provai questa sensazione: finché resto qui non può accadermi nulla. Non faceva né caldo né freddo nelle viscere del teatro.

Questo non lo raccontai a Maddalena, nella sua cucina piovosa che sapeva cuocere anche la luce del neon.

# Dieci

Maddalena era discreta, non ci chiedeva mai se ci saremmo sposati, né mai venne a vedere la nostra casa. Andava subito al dunque: «Ho fatto la mamma giovane e mi vogliono far fare la nonna vecchia». Mi chiedeva alleanza, a volte, per far ragionare Gianni e trasportarlo a una comunione o una cresima di famiglia. In cambio lei si lasciava condurre alle urne senza tante difficoltà. «Fosse per me non voterei, dove sta lo Stato italiano? A che serve?» diceva mentre sotto il braccio attraversavamo via del Pinedo. E allora io le raccontavo di Bakunin, finché non arrivavamo alla scuola elementare e lei cominciava a salutare tutti, poi si avvicinava alla sezione, composta, e aspettava, quieta, che la chiamassero, che dei ciccioni immondi con la maglietta elasticizzata della domenica uscissero dalle cabine, e noi lí a guardarla entrare con la matita copiativa, altera, decisa, edotta a lungo dal figlio – la croce sulla falce – per essere sicuri, ché il simbolo andava corrompendosi di continuo, gli spuntavano sfondi nuovi e alberi e animali d'intorno. Mi commuoveva un po' vederla andare, tra le pareti di carta di quella scuola, tra i capibastone, perché per amore nostro lo faceva: nel segreto della cabina, ovunque nel mondo, non ci avrebbe mai traditi.

«L'ordine e le regole fanno del condominio una macchina perfettamente organizzata», recitava una scritta nella bacheca del palazzo dove i miei genitori avevano comprato l'appartamento in cui vivevano, una cooperativa edilizia nella periferia di Pompei, rossa, come fossero stati in Emilia Romagna dopo lo strappo da Mosca.

E io ero cresciuta cosí, immaginando un ordine, nel condominio e fuori, che non era mai arrivato. Maddalena aveva perso il marito da giovane, e cosí era stato inutile innamorarsi e pensare di fare la moglie. Fare presto un figlio immaginando uno stipendio per comprargli abiti e latte. Io continuavo a confondere esami e interessi, non avevo aspettato la laurea per andar via di casa, né Gianni l'abilitazione per lavorare. Proseguivamo come si poteva, ce ne andavamo per un'idea generale del mondo che aveva molto a che fare con l'amore, anche se canonicamente non era iscrivibile a un amore preciso.

Se una pioggia improvvisa, un fallimento del motorino – un taxi non c'erano i soldi – ci costringeva a restare a Secondigliano, che era sí la stessa città ma a molte linee di autobus e nessuna metropolitana da casa nostra, Maddalena ci prestava il suo letto matrimoniale, che matrimoniale era stato per poco. Eravamo comunisti perché andavamo al sodo delle cose, senza contorni. Mi vergognavo un po' di fumare, perché il padre di Gianni era morto quando un eccesso di sangue gli aveva chiuso i polmoni, ma forse ancora di piú perché il tabacco costava, e comunque era l'unica cosa di cui avevo vergogna. Rubavo, per esempio, a mia nonna Margherita che ancora viveva, ma non mi faceva specie. Mia nonna era una pensionata benestante, e poi aveva la reversibilità di Riccardo. Finché la ricordo io, non molti anni fa, assorbita dalla sua poltrona e dal 5 verticale:

– «Pensare con la testa tra le mani», dieci lettere.

– Sarà *riflettere*.

– Sí, ci va. Ma non è preciso, non sono d'accordo. Cos'è questo gesto? Perché è obbligatorio tenersi la testa per riflettere? O non sapevano usare una definizione dall'ottica? Capito queste parole crociate, non ti puoi fidare, devi pure interpretare il loro qualunquismo... Bartezzaghi non era cosí.

L'ultima volta che l'ho vista si era da poco ripresa da una di quelle notti interminabili dei vecchi. Aveva la solita collana di perle, le mani curate.

– Ma non provi a prendere un sonnifero?

– E a che serve? La mente è sveglia lo stesso.

– Ma no, nonna.

– Ma come no: la mente è sempre accesa sennò come sogneremmo?

– ...

– Stanotte ho visto un film.

– Bello?

– Porno.

– ...

– Però porno strano: c'erano due femmine che si baciavano.

– Lesbiche.

– Cioè, mica sono scema, lo so che anche maschi con maschi e femmine con femmine, però mentre maschi e maschi capisco come si fa, cioè dove va a finire... ehm, la storia. Invece femmina e femmina, come fanno?

Andavo a trovarla, la nonna, e le rubavo ventimila lire a settimana per pagarmi un corso di «Drammaturgia dell'esistenza».

A mano a mano che la tesi finiva, che il cartellone in teatro scorreva e portava l'estate, che Gianni aspettava i risultati degli scritti, qualcosa si era modificato, e io tornai alla casa dove avevo lasciato i miei genitori per comunicare una data di esami di laurea e regalare una copia non rilegata della tesi.

La notte prima della discussione restai seduta a lungo nel letto, con Gianni accanto che dormiva il suo Prazene, autoprescrittosi da quando aveva superato gli scritti del concorso in avvocatura, e procurato grátis da Maddalena.

Disegnai con un'ʜʙ di mio padre la mia prima opera
teatrale. Non avevo il tempo di scrivere nulla, cosí mi li-
mitai a buttare giú sulla pagina tre scene e far partire dei
fumetti dalla bocca dei miei attori di carta,

La mattina seguente mi laureai con una tesi sull'*Essere
e tempo* e un voto irrilevante, un assegno di mia nonna
Margherita che ci facemmo cambiare da Antonio – che col
suo lavoro di portiere era l'unico di noi ad avere un conto
corrente – e una certa domanda sostenuta nell'aria dai miei
genitori: «Per quanto continuerà cosí?» Ma forse ero io che
lo immaginavo. Festeggiammo con le frittate di maccheroni
nei nostri quarantadue metri quadri, gli amici mi regalarono
tre piante femmine, e con grande sollievo mio e di Gianni
per mezzanotte ognuno si dissolse dalla nostra vita. Stretti sulla poltrona – c'era una poltrona, larga, ma pur sempre una poltrona, e nessun divano – gli raccontai *Origini*.

– È una storia ambientata in Africa, da dove è partito tutto, intendo, da lí, l'evoluzione, capito? Insomma gli spettatori devono stare alla stessa altezza del palcoscenico, diciamo che magari stanno sul palcoscenico o forse un palcoscenico non ci sta, c'è una piazza, mettiamo. In questa piazza c'è un bosco. Insomma tu stai seduto in cerchio, una due file, tre file di sedie e davanti a te che costituisci il cerchio c'è un bosco di alberi, ma strani però, questi alberi non hanno foglie: sopra finiscono con due rami a forchetta, come delle putrelle, e la volta celeste che sostengono è pure lei di legno, cosí tu dici «Io sto fuori perché questo è un bosco, però sto anche dentro perché non si vede il cielo», o meglio l'idea è che il cielo è un tetto. Capito?

– Sí.

– Ok allora mentre stai là un pochettino che ti sistemi sulla sedia, ah, importante: le sedie non sono tutte occupate, che tu pensi che stai nella serata sfigata, in cui non incontrerai chissà chi, o che lo spettacolo fa schifo, insomma accanto a te forse non c'è nessuno, comunque ci sono questa quindicina di sedie vuote, no?

– Sí.

– Ok, allora stai lí mettiamo cinque minuti che pensi che lo spettacolo non è iniziato, invece è iniziato: infatti in quei cinque minuti tu li devi vedere come si guardano tra di loro.

– Gli spettatori?

– Eh ti giuro, si voltano e rivoltano, comunque ci sono solo dei rumori, niente musica. E i rumori sono un po' inquietanti, il fruscio dell'acqua e un tamburo di pietra, che poi è il rumore di un tracciato di un bambino che sta per nascere, ne hai mai sentito uno?

– No.

– È proprio cosí il rumore: acqua e il cuore di quello come un tamburo di pietra, insomma mentre stai lí da questa volta di legno si aprono delle botole e cominciano a scendere gli attori, lungo gli alberi, cioè i pali, scendono come le scimmie, fanno proprio tutto come le scimmie, però sono vestiti normali, cioè normali come si vestono gli attori, con quelle tute, e anche normali come ti vesti tu, come gli spettatori. Capito?

– Sí.

– Mo questi all'inizio non parlano, fanno cose di scimmia ma mica che si grattano in testa o che, no, io gli devo proprio far studiare le scimmie, loro non devono imitare delle scimmie sennò si vede che sono uomini, devono sentirsi delle scimmie con la loro dignità di scimmia. Poi chiudono le botole, ah è importante: scendono da punti diversi, no? Però si richiudono sempre le botole sulla testa. Capito?

– Sí.

– Che vuoi bere?

– Il taurasi sfuso.

– Finché uno comincia a parlare, solo una parola, ma una parola compiuta, e tutti la ripetono, non in coro, sovrapponendosi, con toni diversi, come quei gridi che si lanciano le scimmie nella foresta, solo che la parola che dicono è TAXI.

– Taxi?

– Sí come se uno chiama il taxi, capito? Non ridere, senti: e poi quando tutti hanno ripetuto come degli uccellacci, e intanto fanno sempre dei movimenti meno a scimmia, si antropomorfizzano sempre di piú, il primo lancia una piccola frase, tipo «non se ne può piú» non ho ancora deciso che dice, ma insomma una frasetta, e tutti la ripetono di nuovo, in ordine sparso, e da lí in poi diventando sempre piú uomini anche nei comportamenti, lasciando per sempre gli alberi, frasi sempre piú lunghe fino a che si accavallano per forza l'uno sull'altro e allora il primo va a sedersi nel pubblico, e cosí piano piano finendo le loro frasi anche tutti gli altri attori riempiono le poltrone vuote e se tu li vedi affianco a te sono proprio uguali a te, capisci?

– Sí.

– E allora il primo dice: «Ci abbiamo provato, a scavare le fondamenta di questa città per ergerla e abitarla,
ma questa città è rovesciata. La sua parte sotterranea vive
nei palazzi di vetro e acciaio, nei grattacieli, e la sua parte
manifesta vive nella caverna dell'utero, nelle viscere della terra, nell'umore delle strade. È questa un'evoluzione
rovesciata, questo nuovo mettersi in piedi, ma dove siamo? In uno spazio cavo che non sa accoglierci né proteggerci, o nel teatro o nel bosco di quella favola, o al piano
dodici del palazzo del potere? Noi ora siamo costretti in
questi abiti e queste cravatte, noi ora siamo costretti su
queste sedie e ad applaudire. Noi ora siamo costretti a essere voi». Mentre tutti sono zitti e fermi come gli spettatori, in cerchio attorno a questa foresta di pali, e quando
quello ha finito comincia lentamente a piovere, si aprono
le botole e piove a scrosci, che poi è il liquido amniotico
che esce: è la nascita.

– E come lo spieghi tutto questo?

– Mo lo scrivo, poi lo mando a uno di quei concorsi,
tanto non ho niente da perdere.

Erano anni, quelli, in cui non avevamo nulla da perdere.

– Clelia.

– Eh?

– È bellissimo.

# Undici

Mentre io scrivevo, in nessuna direzione andando con certezza, Gianni studiava il suo orale. Si sapeva che il complicato era passare gli scritti, piú che altro perché era piú difficile imbrogliare. Agli orali nessun candidato si presentava da solo, ma scortati entravano, da quegli avvocati grossi da cui facevano a lungo la pratica, sgobbando per loro senza nulla in cambio, se non quella presenza silenziosa, quello stringere le mani a tutti in commissione, e poi stare negli scranni ad ascoltare il proprio *protégé*.

Gianni andava solo.

A qualche giorno dalla prova iniziò ad avere paura proprio di questo, e poi nella sua commissione c'erano avvocati piú giovani di lui, ex colleghi di università con i padri che gli avevano abbreviato i tempi.

– È normale che hanno fatto tanto prima di te, le loro mamme mica vivono in una voliera, – gli dicevo, perché ci sostenevamo l'un l'altra come due carte da gioco poggiate in piedi.

Ma lui aveva ragione: quelli lo stavano aspettando per compatirlo, per fare numero di bocciature adeguato, percentuale, proporzionale al totale di promossi inevitabili.

Gianni esisteva, quel giorno, per bilanciare il mondo.

Io aspettavo da ore al centro direzionale, seduta su un muretto a fumare, intorno a me piramidi di vetro e fughe da architetto, e diecine di grattacieli con ascensori esterni che parevano navette spaziali in decollo verticale. Diecine di palazzi contro cui pregare. Ma era facile: il centro direzionale crollava da solo anche prima che ci pensasse la camorra a dar fuoco al Palazzo di Giustizia. Era il luogo perfetto a dirigere la città, tra il cimitero e il carcere piú affollato d'Europa, secondo solo a quelli turchi. Ed era cosí: che gli architetti avevano guardato in alto senza guardare in basso, sotto i grattacieli non c'era un autobus da poter prendere, o una scuola, o una metropolitana che passasse piú frequente di – *ogni venti minuti* –, o una fognatura che non si otturasse a ogni minima pioggia lasciando disperazione di colletti bianchi e pantano. E sotto ancora a tutto, sotto la torre del tribunale, c'era un parcheggiatore abusivo da tutti i mestieranti conosciuto e pagato mille lire a motocicletta, che pareva il guardiano dell'inferno, e che il giorno in cui i vigili erano andati a smantellargli l'indegno traffico aveva sfoderato uno scritto su carta intestata del consiglio dell'Ordine degli avvocati, che sosteneva che lui svolgeva una funzione di pubblica utilità.

Questo era e niente altro, il centro direzionale.

Io aspettavo Gianni.

Lo vidi arrivare da lontano dignitoso e mortificato, e cominciai a sorridere mentre dentro mi montava un dolore accecante.

– Sono stato bocciato.

– Erano difficili le domande?

– No, sono io che non ho parlato proprio, sono partito sconfitto.

Non era del tutto vero, era solo partito in ritardo: se non stava in carcere come il suo compagno di banco forse lo doveva anche a un professore che gli aveva regalato l'opera omnia di Montale. E ai suoi occhi attenti, al suo animo aperto, che glielo avevano fatto leggere: con tutto quello che ne consegue per sempre. Per esempio l'attenzione costante all'essere umano, ai suoi sogni e ai suoi bisogni. O per esempio il fatto che io ero sicura, quando la notte mi abbracciava, di avere il petto stretto a un comunista.

Quando lo sentivo in imbarazzo, quando lo vedevo in difficoltà, quando sentivo che in lui cresceva una rabbia, io coglievo la giustezza di quelle sensazioni. Sapevo perché c'era la rabbia e contro cosa era rivolta, e dove nasceva l'affanno che gli bloccava il parlare sul nascere, o la reazione, e ne soffrivo come se quell'ambascia fosse mia, o peggio: perché, mia, mi ci sarei buttata come un titano contro. Se qualcosa faceva soffrire Gianni non era mai una cosa piccola, o se lo era, era la sua piccolezza a farlo soffrire. Ai miei occhi Gianni era nel giusto come sarebbe dovuto essere il mondo, e un'ingiustizia contro di lui era intollerabile.

Non cercai di dire cazzate, ma di guardarlo negli occhi ferma ferma, quello sí, poi gli dissi: – Andiamo a casa a piedi –. E lungo la strada si tolse la giacca e la cravatta e la regalammo a un marocchino, ma non per generosità e manco perché erano simboli borghesi. Solo perché avevano portato male: l'ho detto, noi andavamo all'essenziale. Poi ci mangiammo una pizza, poi due paste cresciute, e arrivammo a casa che imbruniva, che tutta l'Arenaccia ci eravamo fatta a piedi, e avevamo commentato la sopraelevata di corso Novara, a chiederci se impiccare gli architetti che l'avevano progettata o la giunta che l'aveva concessa, e nel caso chi prima. A simpatizzare con le prostitute che l'abitavano sotto, e gli inquilini dei palazzi inizio Novecento che si vedevano passare lecitamente le automobili in bocca. E quando poi eravamo arrivati a casa, un poco ubriachi della città e del destino, ci eravamo abbracciati stretti sulla poltrona.

Io in tutta la mia vita non ho mai piú avuto una poltrona cosí.

Odiavamo la proprietà privata, e non avevamo l'automobile, né i soldi per i viaggi. Un viaggio solo ci concedemmo, era dicembre e zio Raffaele aveva accumulato cosí tante millemiglia andando e venendo dai teatri di tutto il mondo, che ci aveva regalato per Natale due biglietti premio, ma le destinazioni erano limitate e ci capitò Oslo, dove andavano tutti in estate a godere delle notti bianche. Il cambio lire-corone era terribile, avevamo prenotato da qui un albergo che non dava nulla e si faceva pagare tantissimo, e ci facemmo i conti al centesimo: che bisognava fare colazione il piú tardi possibile, e tentando di infilarci nello stomaco alimenti grassi e pesanti per arrivare almeno fino a sera.

Gianni ebbe paura sull'aereo all'andata e io al ritorno. Non avevamo vestiti abbastanza pesanti da portare e chiedemmo in prestito agli amici, Sonia che andava a Roccaraso a sciare una settimana l'anno, e Antonella, che aveva la sorella che lavorava in un negozio Moncler e teneva questi giubboni imbottiti che a Napoli non era mai riuscita a vendere. Come nella campagna di Russia, anche il nostro problema furono le scarpe. Io preparai lo zaino di sicurezza: c'erano sette scatole di tonno al naturale e sette di Simmenthal, poi mais e fagiolini. Bustine di tè, una resistenza che messa in un bicchier d'acqua la faceva bollire, zucchero, cucchiai coltello forchetta, freselle e una bottiglietta di olio d'oliva.

A Oslo ci furono giorni in cui ogni quindici-venti minuti entravamo in un centro commerciale per riscaldarci. Noi non sapevamo cosa fosse un centro commerciale, e ci dicevamo che erano invenzioni nordiche, piazze coperte per sopravvivere alle temperature glaciali. Cercammo a lungo l'ingresso della metropolitana: era segnata sulla carta proprio in quel punto lí, ma non c'erano da nessuna parte M e neppure U. Finché vedemmo una teoria di lavoratori infilarsi in un sottopasso che aveva come insegna un millepiedi con le scarpe da ginnastica. Ai docks imparammo che una zuppa di cipolle poteva costare anche ventimila lire, ma era buonissima, e che non passa nessuno per farti una foto in strada e l'autoscatto è reso difficile dalle lastre di ghiaccio delle panchine. Anche sedersi sulle panchine è reso difficile dalla stessa cosa.

Scoprimmo che il sabato sera, e anche il venerdí, se non prenoti non ceni, e ripiegammo entrambe le sere su una tavola calda che di caldo aveva delle zuppe in scatola da riscaldare sul momento. Attorno a noi c'era un tentativo di inghirlandamento natalizio, e candele ovunque. L'ostessa curva ci osservava dal buio della cucina come dallo sfondo di un quadro fiammingo: eravamo soli e restammo soli. Se io penso a quel momento, la faccia di Gianni un po' delusa per non avermi saputo portare a cena e i sorrisi complici che ci scambiavamo mentre ricominciavamo ad avvertire le estremità dei piedi, ebbene io vedo quel tavolo con la tovaglia a quadri sollevarsi tutto intero con le zuppe e le panche, e galleggiare leggero sul fiordo di Oslo, tenuto insieme dalle nostre mani intrecciate al centro. Noi illuminati dalle candele e dalla rifrazione del ghiaccio. Non bisogna mai staccare le mani, è la legge del volo.

Fagiolini e Simmenthal fecero il loro corso, andammo a Bergen con un treno lentissimo che attraversò il crepuscolo per dieci ore. Fuori erano laghi e lande e fiordi e paesetti con tetti spioventi fino a terra, e il fumo li diceva abitati, fuori era il ghiaccio e dentro eravamo noi. Al museo nazionale attraversammo sdegnati la gipsoteca con le copie da Roma e Atene, e restammo con la bocca aperta e senza voce alcuna davanti a *L'urlo* di Munch. Lo stesso stupore provammo al guardaroba, dove con sollievo ritrovammo il Moncler di Antonella, nonostante fosse incustodito e chiunque, nel nostro immaginario malato, l'avrebbe potuto rubare.

Quando atterrammo a Capodichino e salimmo sull'autobus per tornare a casa – all'epoca non esistevano shuttle spaziali, ma il 178 che faceva la linea dei cimiteri e si allungava un po' a prendere i passeggeri che volevano tornare in città –, ma insomma quando io mi sedetti sul sediolino di legno istoriato di scritte d'amore e cuoricini trafitti dagli studenti, lo zaino tra le gambe, il portafogli tornato a contatto con la pelle a scanso di trafugamenti, e vidi Gianni che andava verso la macchinetta per obliterare, in un attimo pensai che saremmo tornati a casa insieme. Non come quando si torna dai viaggi che sono stati belli ma stanno a fare parentesi perché poi dopo ognuno si rimpossessi del suo, o come le giornate di vacanza e di gita dopo le quali ricomincia la scuola e la madre pedante. No, qui era naturale: saremmo tornati proprio insieme nella stessa casa, uno di noi due avrebbe trovato le chiavi per primo sotto lo strato di sciarpe e calzettoni della valigia e ci saremmo precipitati al telefono ad avvisare i parenti: *Atterrati.*

*Atterrati.*

*Tutto a posto, sí.*

*Poi ci sentiamo con calma domani.*

E, buttati sul letto, avremmo guardato lo stesso soffitto proiettandoci la volta bassa e gelida del fiordo che avevamo visto insieme. E che quindi in fondo tutto continuava, e nulla era stato regalato o concesso. Non era tempo rubato ma la vita vera, e quella vita era mia. Allora mi commossi profondamente, tanto che Gianni tornava sconfitto nel corridoio dell'autobus: – Nessuna macchinetta funziona, c'hai una penna?

E mi vide con le lacrime dietro gli occhiali.

– E se fai cosí per il pullman mo che vedi le macchine in tripla fila che ti viene, un colpo?

Il semestre successivo Gianni superò di nuovo gli scritti, e andò a parlare con il suo vecchio professore con cui si era laureato, che era un uomo buono, tutto chiuso nei suoi libri, nelle sue ricerche, non era mai diventato ordinario e aveva studiato per tutta la vita il diritto spagnolo, tant'è vero che Gianni aveva dato una tesi con lui per rileggere *La vita è sogno* e avere la scusa di andare a spendere due soldi a Chiaia all'Instituto Cervantes, immaginare una seconda lingua, quando quella prima ufficiale se l'era conquistata a stento, in mezzo Secondigliano, e piú grazie alle emittenti televisive che all'eloquio dell'umanità vera. Il professore fu chiaro: lui stesso non valeva nulla, e lo indirizzò con molto affetto presso un altro, un grassone di sedicente sinistra, incravattato e pronto al saluto in qualunque sua forma.

Cosí Gianni ebbe la sua scorta e la sua abilitazione, ma non fummo felici. Ci trascinammo da Marinella a comprargli una cravatta fatta su misura. Stavamo seduti su una fioriera senza fiori a venti metri dal mare. Tra noi e lui un muro di automobili inferocite. Contavamo quello che avevamo in tasca chiedendoci pieni di stupore perché la seta costasse tanto piú del pane. Intorno a noi cominciavano a chiudere le zone bene al traffico, per favorire il passeggio agli acquirenti degli stilisti. Una ditta appaltata dal Comune dipingeva con dovizia delle lunghe strisce azzurre parallele ai marciapiedi.

– Che sono?

– Ci saranno strisce bianche per il parcheggio libero e strisce blu per quello a pagamento.

– A pagamento per cosa?

– Per parcheggiare.

– E che cambia da qua a là.

– Che là paghi e qua no.

– E perché?

– Boh?

– E poi chi è che si prende i soldi?

– Ma voi la tenete la macchina?

– No.

– E allora che cazzo ve ne fotte, scusate.

Ce ne tornammo sconfitti con duecentocinquantamila lire di cravatta fantasia *regimental*, Gianni aveva vergogna, e le gambe allenate dai disservizi, e allora camminava veloce davanti a me. Io gli tenevo dietro pensando sinceramente, come fossi venuta al mondo in quell'istante, com'era possibile che un uomo che sapeva spiegare cosí bene il plusvalore seduto su una fioriera aveva dovuto chiedere una raccomandazione. Ancora dietro di me il Comune, con lunghe losanghe azzurre, si stava autolottizzando, scappava dai cittadini.

Quando furono abbattute le Torri Gemelle ce lo disse un amico che abitava in una strada parallela alla nostra e che non aveva il televisore. Noi avevamo il televisore del proprietario di casa, come tutti i mobili che ci circondavano, di truciolato e plastica. Il tavolino su cui pranzavamo era un tavolo da poker, aveva un panno verde invece del ripiano. Questo ci faceva immaginare il nostro padrone di casa piú ricco di quello che forse era. Arrivò l'amico a guardare la televisione. Parlammo poco del gesto politico, e piangemmo sí per quegli esseri umani intrappolati, che saremmo potuti esser noi, ma già da tempo, mesi, piangevamo per i bambini afghani vittime di un embargo a cui non arrivavano medicine. E che non saremmo potuti essere noi, per quanto disgraziati e brutti e poveri, quelli non saremmo mai stati noi.

In quel periodo Gianni decise di sposarsi, e io gli feci da testimone di nozze. Era che teneva aperto questo sportello di protezione legale per gli immigrati, e alle brutte – che stavano diventando sempre piú brutte e meschine – l'unico modo che si trovò per far restare questa mamma di diciannove anni in Italia, fu che noi ce la sposassimo.

Venne un poco a vivere a casa nostra con il suo bambino, qualche giorno perché spazio non ce n'era, e poi si arrangiò tra gli amici, perché in fondo già lavorava e se non fosse stato che lavorava in nero, e che era ragazza madre, e che non parlava la lingua, e che aveva un bimbo piccolo da poco svezzato che paziente l'aspettava nel carrozzino mentre lei faceva le pulizie, allora problemi non ne avrebbe avuti. Ma non ci fu un altro verso e allora ce la sposammo noi, e fu un giorno bellissimo davanti a quello della Circoscrizione, perché io tenevo il bambino in braccio e firmavo il registro insieme a un altro testimone, che poi era Pino,

e loro due non si diedero manco un bacio, ma invece ce lo
scambiammo noi, e veramente se lo scambiarono pure lei
e Pino, cosí l'ufficiale della Circoscrizione non ci capí nulla. E quello fu un periodo glorioso di matrimoni, perché
zio Simone e zia Michela festeggiavano i loro trent'anni
e poiché non avevano figli chiesero a me e mio fratello di
fargli da testimoni. Allora si organizzò di sabato, cosí Alessandro poté tornare a ottanta chilometri all'ora con la sua
Panda 900, e ci disse che mentre scendeva per la penisola
si scioglieva la neve dal tettuccio e colava a rivoli sul parabrezza. Ma io e mia zia non capimmo se era una metafora,
perché sentimmo che lo raccontava dal corridoio e intanto
io, come una damigella d'altri tempi, ero stata ammessa
alla presenza della sposa nella sua stanza da letto, e stavo
facendo *arbiter elegantiae* per la valigia del secondo viaggio
di nozze. La lingerie che cacciò mia zia dal cassetto avrebbe
fatto impallidire anche Coco Chanel, e intanto negli anni
lei si era ammalata spesso, di una brutta forma di artrite,
ed era, come inevitabile, ingrassata, e anche Simone lo era,
tanto che aveva benedetto il santo perché si era smesso
di indossare la divisa, giú in cattedrale, e adesso i custodi
portavano un abito a giacca con il cartellino. Ma quel secondo matrimonio in chiesa, a trent'anni dal precedente,
ebbe su me e Alessandro un effetto straordinario, perché
eravamo seduti a un passo dall'altare e non ce l'eravamo
sentita di rifiutare i sacramenti, e cosí ci arrivò per la prima volta nella nostra vita un'ostia in bocca, che si dissolse
subito come un bacio, e poi accadde che Michela lesse la
formula di rito in cui confermava il suo amore, ma quando fu il turno di Simone, quell'uomo grosso e con i baffi
scoppiò a piangere, proprio sul nome Michela, quello scoppiò a piangere e continuò a leggere balbettando, e allora
piangevamo tutti, perfino i miei genitori che se ne stavano in piedi sul fondo di una navata guardando l'orologio.

# Dodici

Quando qualcuno mi cercava, chiamava nella piccola casa su un piccolo telefono bordeaux con il filo sempre annodato, sotto i codici di procedura civile e i *Giorni felici*, e lí mi trovava. Posso dire che ho amato Gianni perché quando Stefano mi telefonò, io fu a lui che lo dissi per primo. Lo chiamai a mia volta allo studio in cui lavorava.

– Ho vinto il premio: mi mettono in scena.

Posso dire che Gianni mi ha amato perché mi ha sempre chiamata, sempre cercata, non mi ha mai lasciata sola, e ha creduto in me con i suoi abbracci e le sue parole come si crede che a innaffiare il seme spunterà il germoglio.

Posso dire con buona certezza che Gianni mi ha amato per il modo in cui è andato via dalla nostra casa e dalla mia vita e per quei fiori che ha continuato a spedirmi per anni, replica dopo replica, spettacolo dopo spettacolo, anche quando decise di andare a vivere con un'altra e fare con lei un bambino.

Il fatto è che aspettavo quella telefonata da troppi anni. Circa venti.

Perché le due cose arrivarono una mattina assieme: Stefano e la sua telefonata.

– Potremmo vederci a metà strada, che dice? Io sono spesso a Roma.

La prima volta che l'ho incontrato era a Santa Maria in Trastevere.

Gli ultimi scampoli di intercity me li ero fatti nel vago-

ne fumatori. Lasciai gli occhiali sul naso. Non indossavo
quasi mai le lenti a contatto, se non per andare a mare, o
cose del genere. Essere comunisti significava pure saper
guardare oltre le apparenze. E poiché ero carina e le apparenze potevano apparire, gli occhiali equilibravano, dicevano che ero miope, e che ero libera.

Non era ancora epoca che potevi andare a sbirciare fotografie in rete, cosí lo riconobbi subito da quello che era.
Arrivai alle sue spalle, e pur avendolo inquadrato gli pas-
sai davanti ed entrai nel bar, poi mi guardai intorno, finché dalla soglia intercettai il suo sguardo e ci sorridemmo.
Non so perché feci quel balletto, era la prima volta in vita
mia che facevo una cosa del genere. Di solito andavo dritta sulle cose, ma quella volta lo feci: come se non potessi
sopportare di incontrarlo subito, come se mi servisse piú
tempo, qualche secondo in piú.

Aveva una camicia gialla. Era febbraio, quindi l'aria di
primavera che ricordo dev'essere un ricordo falso.

– Questo è un pessimo bar, piú avanti ce n'è uno piú
grazioso, dove ci aspetta Mirella, la mia collaboratrice.

L'altra cosa nuova che mi accadde fu di chiedermi subito se lui e Mirella stessero assieme. Io non ero malizio-
sa, non su questo genere di cose, anzi ero piuttosto incline a credere nella vera emancipazione e nel vero amore, e
a sapere che le due cose non si davano noia, né erano per
forza in competizione, né andavano per forza in coppia.
Ma io guardai tutto il tempo Mirella, portava anche lei gli
occhiali. Anche lui. E io mi chiedevo se stavano assieme,
e che differenza avessero d'età, e se il fatto che avessero entrambi un accento nordico li legava piú di quanto io
avrei mai potuto, anche se ad ascoltare gli attori dalla sala, mentre ribaltavo i velluti delle poltrone, ero assai mi-
gliorata nella dizione.

Stefano fu schietto, rapido: disse che la drammaturgia
era bella, ma si sarebbe faticato per portarla in scena, per i
pochi mezzi che il premio aveva, e per la complessità della

storia. Io capii solo che mi stava dicendo che *Origini* andava in scena, che il centro sociale non sarebbe diventato teatro, e che il mio nome sarebbe finito in un cartellone vero.

Ero distratta, catalizzata dalla sua camicia gialla, dalle sue dita tozze, dalla tartaruga della sua montatura rotonda, dai caratteri ebraici inconfondibili del suo cranio, e dalle labbra che dicevano, dicevano.

Non ho saputo scindere.

Non ho saputo tenere la vita per comparti, ma tutta dentro ci sono entrata senza distinzione, come all'Edenlandia quando si era piccoli ma non piccolissimi e ti mettevano un braccialetto all'ingresso e poi eri libero di prendere le giostre che volevi.

«Ci vediamo alle diciannove qua, avete capito? Qua, all'ingresso. Chiedete l'ora a qualcuno dentro, non ci fate aspettare ché parte il pullman».

E noi si andava senza piú meta, un po' storditi da tutta quella responsabilità che era l'altra inattesa faccia della libertà.

Si andava a fare cose sceme come i tronchi, o pericolose come le montagne russe, a sfidare facili indiani o chiudersi in una sala buia piena di spettri per i quali non si era ancora pronti. A perdere i soldi, o farseli rubare e rimanere digiuni, o ritrovarsi alle diciannove all'ingresso sbagliato. Cosí, con quell'ebbrezza mi sono buttata, seduta dietro Trastevere, dietro una spremuta d'arancia, mentre un ebreo errante mi diceva in piemontese (che io scambiavo per milanese) come sarebbe stata la mia opera, e io annuivo come se fosse normale, come se fossi stata pronta da sempre, ritrovare per le diciannove esatte l'uscita principale dell'Edenlandia, sazia e con il resto giusto nelle tasche.

Mi stupivo, parlando con Mirella e Stefano, che ci capivamo, che le loro parole evocavano in me tecniche precise, strumenti conosciuti, partizioni di spazi di cui io sapevo grandezza e uso. Mi stupivo della naturalezza con cui avanzava quella conversazione, come quando si parla per la prima volta con uno straniero la lingua che avevi fino a quel momento solo studiato sui libri e sentito nelle cassette.

Ma quello che veramente successe è che io sentii sorgere in me un fastidio profondo e acuto, un germoglio di disperazione e bellezza, ed erano le labbra di Stefano a insufflarmi quello smarrimento. Era quello che diceva, sí, ma erano anche fisicamente le sue labbra che dicevano. In quel bicchiere che lentamente si svuotava davanti a me, tra Mirella e un rincospermo arrampicato a una ringhiera ci stava tutto quello che sarebbe avvenuto in seguito. E Stefano, manco a dirlo, pagò il conto.

– Ha anche un cellulare?

– No.

– Sarò discreto.

– No, davvero non ce l'ho, ma sono sempre a casa.

– Allora mi chiami lei: ci faccia sapere quando vuol raggiungerci a Milano, e dove possiamo spedirle i biglietti aerei.

– E anche se possiamo darci del tu?

– Grazie.

Accennò un baciamano: il vezzo mi diede fastidio, il gesto mi commosse, mi ricordava mio nonno Riccardo.

Risalii a piedi il Tevere, largo Argentina, camminando piano per smaltire l'eccesso d'ansia, con un leggero mal di testa, quello di dopo l'esame, quando la tensione cala di colpo e resta un senso di sollievo e di pienezza.

Le cose non si compiono all'improvviso, ma all'improvviso le vedi nel loro intero: un momento dopo, seduta sulle scale del Palazzo delle Esposizioni, tutto era già logico e scontato. Tutto era esattamente come doveva andare. Non c'era fortuna, ma gli accadimenti nel loro giusto ordine: da Alessandro con il turbante in testa che dalla fotografia mi guarda e ride, accovacciato sui suoi dieci anni, a quell'aereo che al massimo la prossima settimana mi avrebbe portato a Milano: era tutto come doveva andare. Seduta a via Nazionale, la stazione a sinistra, il luogo dove avevo lasciato Stefano a destra, iniziò a salirmi un fuoco nel petto. Quel germoglio di inquietudine già diveniva tensione per il futuro, aspettativa su me stessa.

Ora, già ora da subito, bisognava perfezionare l'idea, trovare altre parole piú simili al principio compositivo, confrontare, documentarsi. Avere attori da far muovere. Sperimentare.

E comprare un vestito per andare a Milano, aggiustarsi le unghie, scoprire quanto costa un cellulare.

Stefano dove avrebbe dormito stanotte, quell'uomo grosso di quindici anni piú vecchio di me che sapeva contenere tutto insieme il mio futuro? Tu, che parlavi delle mie fantasie come se le avessi visitate nella mia stessa scatola cranica, che mi avevi lasciato un profumo forte di Penhaligon's (solo tempo dopo avrei scoperto che si chiamava cosí) per avermi accennato un baciamano, già mi mancavi. Perché dovevo alzarmi da quelle scale e andare verso Termini, se tu stavi dall'altra parte?

Quel giorno di febbraio, dopo il quale nessun febbraio è mai piú stato neutro, il viaggio di ritorno da Roma a Napoli fu sospeso, continuavo a ripetermi in testa i momenti che mi erano piaciuti di piú. E piú di tutto quando io avevo detto una cosa giusta, me la ripetevo in mente, con quel sorriso che ne era seguito. L'intercity dava ancora la possibilità di sceglersi gli scomparti, di camminare avanti e indietro nei corridoi fino a fermarsi lí dove l'atmosfera era adatta allo stato d'animo. Sorridevo, sola nel vagone di ritorno, non m'importava di nulla, che fosse rotto il riscaldamento, che il neon andava e veniva ed eravamo rimasti venticinque minuti fermi a Minturno. A Formia già non riuscivo piú a ricordare per intero il volto di Stefano, ma portandomi la punta delle dita al viso sentivo il Penhaligon's e avvampavo. Per me poteva durare ancora, o smettere subito, quel treno. Cercavo di mettermi dalla parte di quella camicia gialla: mi prendevo una mano nella mano e cercavo di vedere dalla sua prospettiva come dovevo essergli sembrata, che pensiero poteva aver costruito di me. Mi alzavo per guardarmi nello specchio fumoso, e accendevo una sigaretta per vedere come sono io quando mi accendo una sigaretta. Il ricordo, e il presente, non erano mai stati cosí vicini al futuro. Tutto quello che mi interessava stava in una porzione di tempo cosí piccola, cosí compatta, che era impossibile avere dubbi.

A Gianni non dissi molte cose, rincasando. Sí, gli raccontai l'idea di messinscena, i soldi, l'appuntamento di Milano, i due tipi, con ordine e senza proporzioni: uguali glieli raccontai, come se avessero parlato assieme, come se avessi incontrato due gemelli concordi nelle idee. Non gli dissi della camicia gialla.

Mi scoprii brava nell'omissione. Omettere quello che l'altro non deve neppure intuire non è un esercizio qualunque, quando hai diviso con l'altro quarantadue metri quadri per anni. Ma contavo sul fatto che Gianni scambiasse l'irrequietezza e il fuoco per l'ansia della riuscita. Il che era vero: solo cosí funziona la menzogna, con una porzione di vero dentro. Alterare la realtà è tradimento piú alto della bugia, perché confonde e depista, agisce lí dove conosce l'amico, l'amato e i suoi limiti. Anni dopo mi sono trovata a pensare che la mia storia con Gianni è finita solo per questo: perché io sono riuscita a non dirgli, trasformandolo da complice in avversario. L'ho trasformato dentro di me. Tutto quello che è venuto dopo, il tradimento, abbandonarsi, perdersi per sempre: è irrilevante.

Tredici

C'è un autobus che da Linate porta a San Babila: il 73.
Fu un autobus bellissimo, andava un po' piano, e si fermava a tutti i semafori rossi: ma che autobus di marzo,
in tinta con il mio cappottino, e lo smalto. A San Babila
c'era Stefano, per strada, impegnato in una conversazione
al cellulare, mi fece segno di *scusa* e poi ogni tanto di *che
palle*, e cosí andammo avanti per un po', che ci si poteva
guardare senza doversi dire nulla. Quando staccò gli chiesi se il teatro era lontano, e poi mi poggiai al suo braccio,
come fosse stato un altro tempo, ma un tempo lucido, io
fiduciosa e bella, credo bella. Piú di una volta si era girato a guardarmi ridere mentre andavamo e mi parlava male di Milano, che manco un'alpe aveva a farle l'orizzonte.
Poi parlammo di calcio, perché lui tifava Napoli, e a me
parve ovvio.
    Quando la segretaria mi chiese la ricevuta del taxi per
rimborsarmela, tirai fuori dalla tasca il biglietto del 73.
    – È arrivata in autobus? – chiese guardando diretta-
mente Stefano.
    – Al ritorno l'accompagno io, non c'è da fidarsi di que-
ste napoletane di sinistra.
    Poi, con il caffè in mano, andammo a visitare il teatro.
    – La scheda tecnica cosí come l'abbiamo formulata noi è
costosissima, il problema è l'impianto di tutti i finti alberi.
    – Veramente un modo ci sarebbe per non dover impian-
tare proprio nulla. Posso vedere il sottopalco?

Stefano chiese al tecnico di far scorrere i portelloni del fondo, e quando si aprirono non ebbe nessun dubbio: da lí vedemmo il cortile interno del teatro, con le macchine dei dipendenti parcheggiate, perché era un teatro importante e cosí potevano far entrare o uscire anche strutture grandi come uno yacht, o un camion, se erano necessari alla messinscena. E tutti e due ci proiettammo mentalmente delle poltrone di velluto, o di plastica, o di qualcosa.

Ma insomma, mentre ce ne stavamo lí in silenzio totale tra gli alberi del sottopalcoscenico e dal buio guardavamo verso la luce di marzo del cortile, fu ovvio che davanti a noi erano già seduti, a vociare nell'attesa, gli spettatori.

Durante il pranzo, che lui si ostinava a chiamare colazione, era un continuo interrompersi per dirsi cose, cosí che non si concludeva mai nulla, nessuna storia del passato, nessun argomento. Restava tutto sospeso, e io per catturargli l'attenzione, con quel modo di fare fisico che abbiamo nel sud, allungai la mano al centro del tavolo per fargli un cenno, allora lui la strinse e cosí da quel momento in poi fu tutto evidente.

In seguito, nei giorni in cui montammo l'allestimento milanese, legata al suo corpo io sentii per la prima e l'ultima volta della mia vita questa cosa: che a fare l'amore con lui io dimenticavo il mio sesso, non avevo un sesso, o li avevo entrambi.

Io non mi ero solo innamorata di Stefano. Io mi ero innamorata di me che amavo Stefano. Avevo trovato una Clelia sepolta nell'adolescenza, avevo tirato tutte le somme lasciate inconcluse, il puzzle si componeva, i conti tornavano. Se c'era stata una Clelia che aveva pianto da bambina, o aveva odiato la provincia, se Clelia aveva trascinato il suo tempo su libri che non le appartenevano. Bene: ora era redenta. Io gli avevo detto «ti amo» senza pensarci, senza temere, senza saperlo neppure, stesi sul letto, nel suo appartamento, la finestra era aperta ed era dieci attimi dopo aver finito di fare l'amore. E lui aveva risposto «anche io».

A Napoli mi ridussi una sera di aprile in un portone, prima di rincasare, ma era una sera qualunque, e il panico mi scuoteva e mi faceva tremare, mentre la primavera già galoppava. E io stavo in questo portone, su via dei Mille, prima di prendere la metropolitana a piazza Amedeo, come se oramai fosse tutto inevitabile, perché la metro che avrei preso non mi avrebbe piú lasciato scampo, stavo chiusa infagottata in quel portone a fumare. Non che piovesse, ma come se piovesse, quando devi ripararti per non rovinare la sigaretta.

Parlai a Gianni appena fummo a letto, al buio, poi mi alzai e andai a dormire sulla poltrona. Da quel momento non abbiamo piú dormito assieme. Poi fu lento e doloroso, e a volte denso di un'acredine inaspettata, a volte con tenerezza riconquistata, ci vollero mesi prima che ci lasciassimo davvero. Io cambiai casa, e anche lui.

Andai a vivere nella casa che era stata di un sarto. Ma per molto tempo non ebbi le forze di arredarla.

In teatro mi muovevo con molto scrupolo, forse eccessivo, perché mi sembrava di aver avuto già troppo da quella occasione. Stefano si offrí di dare lui un occhio, e l'unica cosa che chiesi fu di poter chiamare mio zio Raffaele a fare un training per gli attori: a preparare il corpo delle scimmie. Portavamo lo stesso cognome.

– Ah, ecco donde, – disse Stefano togliendomi qualcosa.

Raffaele dovette brigare assai con il lavoro, per prendersi i giorni di permesso, e con la moglie, per prendersi i giorni di permesso, ma poi arrivò finalmente in teatro con quel suo passo che non lasciava impronta. Aveva letto la drammaturgia in aereo, chiamò gli attori direttamente lui, con quell'imperio misto del direttore di scena e del Maestro. Quelli arrivarono tutti sparsi e molli nelle tute, face-

vano i movimenti che fanno gli attori, con le corde vocali
o con quelle degli arti, e non erano preparati a essere messi
in riga. Proprio cosí disse Raffaele:

– Signori, buongiorno, vogliate disporvi in riga davanti a me.

$$-\ -\ \underset{---}{-} \ \overset{-}{-}-\ \overset{-}{-}$$

– Una riga onesta, pulita, come quando si impara a scrivere, niente gambette delle lettere che svolazzano di qui e
di là: dentro il rigo, né sopra né fuori.

----------

Li guardò a lungo, poi si alzò e mi chiamò, assieme a
Mirella, a fumare una sigaretta, e io che sapevo che non
fumava avevo capito che voleva parlarci.

– Clelia sono orribilmente grassi, sono sgraziati, sono
sproporzionati, sono impossibili. Ci vogliono almeno due
anni di dieta e otto ore al giorno di esercizio per cavarne
qualcosa.

– Zio sono attori, non ballerini, e devono fare le scimmie, non le sfilate.

– Va bene: farò alla men peggio. Accetto l'incarico, ma
avrai poco tempo per la regia. Scendiamo nel sottopalcoscenico.

Cosí, sotto la foresta illuminata, li straziò in tutti i modi
possibili, e la cosa stupefacente è che loro si facevano fare
di tutto oltre qualunque senso o limite sindacale, completamente soggiogati e vuoti, anzi lui con quel suo modo di
fare li svuotava sempre di piú, che quelli, specialmente le
ragazze, ma anche qualche uomo, poi venivano piangendo da me, ma proprio asciugandosi le lacrime e ripetendo
tutti piú o meno la stessa cosa «non ce la faccio / non ce la
farò». E io sorridevo, e li portavo a prendere aria o tabacco, e gli dicevo che ce l'avrebbero fatta senz'altro, speran-

do di essere il piú convincente possibile. E poi, distrutti come erano e deprivati di personalità, erano cosí felici di stare seduti ad ascoltarmi, in quelle briciole di tempo che mio zio lasciava loro dopo il training e prima di svenire. Che fu facile dirigerli.

Io non amavo l'autorità né la gerarchia, ma mi ero convinta negli anni che molto teatro funziona solo cosí: se c'è uno che indiscutibilmente comanda (nei casi migliori perché è indiscutibilmente il piú bravo), e gli altri che stanno a sentire ed eseguono – anche quando non sono compagnie vere e proprie ma attori provinati per quel progetto lí e nulla dopo –, diventano subito famiglia, con il figlio prediletto, e gli altri intelligenti ma reietti, belli ma non bravi, l'attaccabrighe e l'ammortizzatore. E si parlano e sparlano tra di loro e mai tutti insieme. E il regista, come i padri e i capi di Stato (e Dio, ovviamente) può revocare parti, o scambiarle, o prometterne di nuove fino a estromettere del tutto uno dei componenti, assegnandolo al margine, togliendogli il verbo e il movimento, e solo perché gli è girato cosí per la testa. Che poi quel giramento di testa è tutto quello che il regista sappia dare alla scena, cioè il fine ultimo, cioè il compimento del lavoro e dell'opera, d'accordo: ma agli occhi dei figli sarà sempre e solo arbitrio, verso il quale il meglio che possono fare è assumerlo come giusto. Io non ero imperiosa di natura, e avevo dalla mia di essere donna, per cui ero nella posizione giusta per l'accoglimento della stanchezza e l'incoraggiamento all'azione. In famiglia, lí nella foresta del teatro, io facevo la mamma.

Raffaele faceva salire e scendere gli attori venti volte dagli alberi. Venti, come se fossero pertiche. Che poi erano piú pertiche che alberi e quindi con meno punti d'appoggio, ma lui li trattava cosí, come se in *Full Metal Jacket* il sergente Hartman l'avesse fatto Nureyev.

– Maestro, ma noi in scena dobbiamo solo scendere, non dovremo mai salire.

– E come scendi se non sali?

– Ma saremo sopra le botole, saremo già lí e da lí scenderemo…

– La mia non era una domanda tecnica, era esistenziale. Ci vuoi pensare, oppure *tu* fai le ultime cinque volte l'esercizio e deleghi *me* al pensiero?

Quando Mirella mi chiese, chiamando per lui un caffè d'orzo al bar, se mio zio fosse omosessuale, penso di averle dato tutte le risposte necessarie:

– No, non credo, almeno, di certo è sposato, ma la moglie è opprimente, il matrimonio va a rotoli, lo ha fatto sfiorire, lo ha ingabbiato in un'alta borghesia che non ci appartiene. In famiglia la odiamo. Comunque alla prima viene mio fratello che lavora qui vicino, loro hanno molta confidenza: glielo chiedo.

Mi parve assurdo non potermi girare, alla prima di *Origini*, a cercare lo sguardo di Gianni, io complice e grata, lui uguale. Ma fu un attimo. Poi furono aperti i portelloni tra il cortile e il sottopalco, e le persone cominciarono a guardarsi attorno, le sedie vuote ogni tanto, qualche brusio, cellulari che si spegnevano emettendo un ultimo bip.

Quando le scimmie divennero uomini, e poi, sotto la pioggia, spettatori anch'essi, qualche tecnico che aveva seguito l'allestimento iniziò un applauso che sciolse tutto. L'annichilimento. E dalla forza di quell'applauso, benché fosse una prima, io sentii che tutto era andato. Perché ne avevo sentiti milioni di applausi, sera dopo sera, e oramai sapevo indovinarne il senso come una madre interpreta il pianto sempre uguale del figlio. La voce di mio fratello Alessandro urlava «bravi bravi», ed era l'unica che sentii tra tutte.

Cosí furono gli applausi, gli attori che mi chiamavano, la pioggia di critiche, gli operatori che acquistavano date su date, e quelli che un tempo avevano faticato a sfocarmi nel fondo di un palco, che venivano a stringermi la mano. Loro a me. E io mai feci manco un sobbalzo, soddisfatta sí ma molto dentro. Ho sempre contenuto tutto, perché venivo da un retaggio comunista, che dei Nomi non sapeva cosa farsene. E un poco perché pensavo che fosse naturale, ma non con un vero orgoglio, almeno che il nocciolo non provi orgoglio a diventare albero ricordando di essere stato seme.

– Sei cosí *per bene* e cosí di sinistra, tu, e questa è una miscela potentissima, – diceva Stefano accarezzandomi la schiena per tutta la lunghezza, io a pancia sotto sul suo letto inondato di Penhaligon's.

– Che significa «sinistra»? Devi stare attento alle parole, «sinistra» significava qualcosa nel Parlamento francese, qua non vuol dire niente.

Ma io mi godevo piú la sua mano che la discussione. La polemica la lanciavo d'ufficio, perché si era in quel tempo della rifondazione del comunismo, solo che avevano confuso le parole, e quelle che erano state le sezioni di partito, una volta, adesso erano diventate *circoli*, come quelli nautici, di bridge e di uncinetto. E come quelli del diretto avversario politico, che piú furbo nominava in inglese, *club*. E poi serpeggiava un divismo strano, tanto che una volta in piazza Plebiscito – perché oramai Napoli era di quella sinistra dalla Regione fino all'ultima delle circoscrizioni, e da tanto tempo già che si stava sospesi tutti a guardare, a volersi rimboccare le maniche, a veicolare il cambiamento –, durante un comizio del segretario di questo nuovo partito rifondato sulle ceneri di Gramsci, i ragazzi, gli studenti, i nuovi entusiasti, correvano sotto il palco a farsi firmare le tessere, e qualcuna pure diceva che quello lí era bello, aveva begli occhi, e cose del genere. Ma io me lo ricordo quel momento in cui tutti tendevano le mani con le penne e le tessere, e qualcuno anche la macchina fotografica sollevava, e mi chiedevo cosa c'entrasse mai questa scena qua con il comunismo e perché quell'uomo non scacciasse gli elettori istupiditi attorno a sé come i mercanti dal tempio.

– È che non c'è piú il tempio, – spiegava Alessandro

alla compagnia, nelle cene del dopo spettacolo che si pro-
traevano fino all'alba, – e quello là fuma sigari di marca
che va a comprare da un tabaccaio pre-ci-so: e questo tabaccaio, in attesa di venderli, li tiene in una vetrinetta con
il deumidificatore per non far-li-sec-ca-re.

Alessandro raccontava qualunque cosa come se la stesse
dicendo ai suoi alunni, e tornava a tutte le repliche, a tutte
le cene: poi andava via un poco stonato perché la mattina
si alzava presto. E pure io stavo un poco stonata da tutta
questa felicità, di averlo vicino, dopo anni: un improvviso
regalo del grande nord.

Alessandro era l'unico che mi poteva capire, per i cro-
mosomi sí, e per aver fondato la sua vita su un passato costellato delle stesse anime che avevano costellato il mio. Ma
poteva nuovamente capirmi, ora adulti, in questo scarto
improvviso di binario che aveva preso la mia vita, perché
anche lui, al tempo del liceo scientifico di Pompei, non si
sarebbe mai sognato di finire a fare il maestro ad Alzano
Lombardo.

# Quattordici

Quando tornavo a Napoli cercavo di rimettere a posto la casa del sarto, il vecchio inquilino, di cui erano rimasti solo mezzi vetri alle finestre come ghigliottine, e controsoffittature crollate a farsi vela, e un manichino di cartapesta che poteva assumere vari aspetti femminili, perché aveva un congegno che lo faceva aprire e chiudere lungo la spina dorsale, e portava un seno che si poteva diminuire o aumentare a seconda della taglia. E che in quella casa io avessi trovato già un corpo ad abitarla, e che fosse un corpo femmina senza capo né piedi, ma solo busto da modellare, bene, ero in quella fase dell'esistenza in cui si crede ai segni: e io mi credetti. Avevo guardato per molte notti quella casa antica, da sotto, dal quartino che dividevo con Gianni, in quelle notti insonni che capitano a chi è in continuo commercio con l'esistenza; io mi sporgevo dalla finestra della cucina, e guardando su, in cerca della luna o di quelle nubi gialle che trattengono lo smog e i fanali di Napoli alla notte, trovavo la luce del sarto accesa. Lí all'ultimo piano, il sarto cuciva, o forse pensava anche lui, e fumava, questo sí, perché vedevo gli sbuffi regolari della sua sigaretta esalare dalla finestra.

Il sarto morí poco dopo la mia separazione da Gianni, e lasciò vuota la casa e spenta la luce, e io chiesi al portiere di salirvi una sera a vederla: appena entrai si stagliò, oltre una portafinestra, la reggia di Capodimonte che imbruniva, e la presi in affitto.

La sistemai piano piano e, per non avere mobili, ne colorai tutte le pareti, che poi divennero, nel corso degli anni in cui ci vissi, il luogo di affissione delle locandine dei miei spettacoli, il festival di Volterra e quello di Spoleto, una piccolissima tournée in un teatro di banlieue parigina, e dei forex giganti con le foto di scena, e perfino di un manifesto tre metri per quattro di *Ombre*, lo spettacolo che vinse il premio per la migliore drammaturgia del 2003, che raccontava di una ragazza che inciampava nelle ombre tracciate da un sagomatore sulle assi del palcoscenico, e la cui realizzazione prevedeva che tutti gli spettatori indossassero una benda su un occhio per annullare la tridimensionalità. E, senza mistica, sento che, se tutto questo fiorire accadde, fu perché io vivevo quegli anni miei senza avere nulla da perdere. Non dovevo entrare a patti con il mondo per meritarmelo: dove ne avessi trovato la bellezza l'avrei colta, dove essa si fosse rifiutata di mostrarsi, semplicemente non ne avrei sospettato l'esistenza. *Ombre* mi conquistò la direzione di un piccolo teatro pubblico al Rione Sanità che voleva traghettarsi verso una nuova fase. E questo mi portò a radicarmi di nuovo in città, ma fino ad allora, per qualche tempo, me ne andavo perdendomi nel mondo dietro gli allestimenti, dentro enormi Fiat soppalcate alla buona che diventavano carri di legni e uomini, a scavalcare montagne.

Mi piaceva stare con gli attori, perché poi erano loro che mettevano la carne, e finché l'idea non si perfezionava, non si faceva scena, vivevo dei travagli dolorosissimi, che mi davano ansia fino a farmi salire la febbre. Tutto quel piccolo mondo che di volta in volta era il teatro da settanta posti o il grande circuito, quel produttore solo e forte o quella cordata di minimi produttori, duemila euro ciascuno per tenere in piedi il progetto, e ogni persona spedita da loro a seguire ogni passo della costruzione, erano tutti indispensabili e amavano e tremavano per la riuscita dello spettacolo come e quanto me. Anzi, io vivevo un attimo, prima della realizzazione, nel silenzio im-

provviso e sospeso della sala, io vivevo un attimo di sollievo, mentre loro, i tecnici, e il direttore di scena, e zio
Raffaele che oramai mi seguiva dappertutto, restavano lí
immobili tesi a sgranarsi il sale in tasca fino al primo applauso. Attorno a me c'erano attori e registi che lavoravano in teatro da vent'anni anche se avevano la mia stessa
età, o c'erano teatranti poco talentuosi e di molta acca-
demia, c'erano quelli che rifiutavano di andare in scena
per rispetto della scena, e quelli che sentivano di doverci
essere. Ma nessuno dei percorsi che ci avevano portati a
intrecciare le nostre storie e le nostre sembianze dietro
le stesse quinte, negli stessi camerini, sotto gli stessi gra-
ticci, nessuno era uguale a quello del suo simile. Era piú
come se fosse stato il teatro stesso a chiamarci, mentre
pensavamo di star facendo altro, o di dover fare altro,
mentre camminavamo convinti, in quel momento preciso della nostra vita, quello ci aveva fatto *psss* da un bivio
e noi l'avevamo guardato.

Lo avevamo visto vario. Mutevole. Sfuggente, giocava
a esser serio e far paura e schiacciarti contro una parete,
o a prendere il tuo volto e costringerti a giocare con lui,
era in bianco e nero, o a colori, senza parola o tutta parola, solo suoni, era crisalide in metamorfosi, o maschera
eterna di pianto, sussurro e grido, matrioske da aprire o
mappa piatta, era uno e centomila. Arrivava da ogni parte,
dalle spalle e di fronte, ti voleva seduto e all'inpiedi, era
spasmodico movimento nel morso della tarantola o lentissimo affiorare di figure da uno sfondo. Era la storia e la
controstoria, era ciò che accadeva agli uomini o quello che
era accaduto, o nulla se non fantasie.

E noi eravamo andati, poi: l'avevamo seguito e ci eravamo ritrovati piú o meno tutti quanti un giorno lí sotto
il suolo del mondo a vedere come si faceva, le sue placche
telluriche di botole, il legno che scricchiolava alla violenza degli argani come nella pancia di una nave, le macchine
per fare uscire il dio e la persona, per tappar la bocca alla

scena, far scivolare barche piú lisce che su un lago e far volare spiriti piú leggeri degli spiriti.

*Mezz'ora*, chiama il direttore di scena implacabile, i camerini a porte chiuse, noi lí dentro l'iride dell'occhio di bue, gli ETC americani, i Juliat francesi, i Niethammer russi, 36° 90° 50° 70°, *quindici minuti*, si accende la par 64 1000w del campo militare, del carro armato, lo scenografo ancora traffica alla gobbatura, l'assistente si accorge che nella pausa caffè qualcuno ha lasciato i bicchierini di plastica, *dieci minuti*, silenzio profondo dai camerini, compare una corda, una sedia, sulla sedia un fazzoletto, l'assistente ripassa un segno bianco, mi stropiccio gli occhi sotto le lenti, *cinque minuti*, gli attori si cominciano a sistemare a palcoscenico buio sulla scena, le luci accese in sala, il direttore mi guarda io faccio segno che sí e lui quel segno lo manda nella ricetrasmittente lí fuori alle orecchie delle maschere che aprono i portelloni imbottiti della platea, passi, vociare su verso i palchi, chi si siede scorge davanti a sé gli attori immobili nel buio. Fiat lux.

A volte partecipavo agli spettacoli degli altri, perché c'era da sorprendersi e imparare, a volte bisognava tirar dentro il cugino di qualcuno per sostituire qualcun altro, o un figlio. A volte lo stesso produttore chiedeva di uscire, e andava pure meglio che con gli attori professionisti. Qualche volta mi capitava una regia esterna e io ero ben felice di sgravarmi del rapporto diretto, per dedicarmi a quella parte che amavo, della stesura del testo e del suo stravolgimento, del suo prendere strade strane, poi, quando era l'attore che faceva il suo passo nella parola, e se vi inciampava bisognava limarla a ché non gli desse fastidio. E molto molto di frequente erano loro stessi ad aggiustarsela addosso come un pantalone nuovo che debba prendere la forma, e allora io annotavo soltanto ciò che era diventata l'idea. E poi disegnavamo: in quei primi anni di teatro disegnavamo molto, e io chiamavo mio padre che era finalmente andato in pensione, ed era bello vedere ancora Claudio e Raffaele insieme proprio cosí, Claudio giú, che tirava fotografie con la sua reflex scaduta, prendeva pellicole costosissime da piú di 1000 asa che poi doveva andare a sviluppare a Fuorigrotta, da un cugino Čechov che gli faceva il favore, perché laboratori che lavorassero bene in piena conversione al digitale non se ne trovavano facilmente. Da quelle fotografie poi tracciava bozzetti cosí precisi che a vederli in successione rapida, a darseli di mazzo come carte, entravano in movimento: ed era esattamente il movimento che Raffaele aveva disegnato nell'aria il giorno precedente.

Mentre io e Stefano ci lasciavamo, come si lasciano i borghesi, senza strilli e sbattere di porta, Raffaele si innamorava di Mirella. I miei spettacoli erano la scusa ideale, per raggiungere un teatro e per raggiungere l'assistente di produzione. Lei lo adorava, e chiunque si aggiri nei dintorni di un palcoscenico e tenti con la punta delle dita, accovacciandosi, o con la punta della scarpa, facendosi coraggio, di vedere come è fatto il legno lí, vuole essere adorato. Raffaele non lasciava solo fare, però, lui era. Era veramente bravo, e di quella parte inoltrata della vita decise prima piccole fughe, poi una partita iva che lo liberasse dall'obbligo militare del San Carlo, poi una separazione in cui, si intuiva, i giurispruditi di famiglia si sarebbero fatti squali.

– Che mi possono togliere piú? La carne se la sono mangiata anni fa, i muscoli, e i tendini... – cosí mi disse con quella valigia in mano, e la piccola Mirella dietro di lui, quella fatina che lo cospargeva di polvere scintillante.

Le persone che avevo attorno a me erano meravigliose. Ognuna presa per il suo meglio, e mai avrei voluto saperne il lato privato. Ma quello pubblico era molto simile a quello che io pensavo fosse il teatrante, l'attore, il regista, l'artista in generale. Le persone che d'un tratto frequentavo, che incrociavo nella piazza del festival, parlavano la mia lingua. Sapevamo cosa dirci. Sentivo un'energia che avevo sempre tenuto a bada ma che da sempre reclamava un posto e adesso quella era lí e si faceva guardare. Persone piú adulte di me, migliori, quelle che fanno i libri su cui studi, gli spettacoli che vai a vedere, all'improvviso erano lí in silenzio ad ascoltare quello che dicevo io, a sorseggiare i drink o prendermi bonariamente in giro. I loro sms arguti, raffinati, pronti, intelligenti, popolavano il mio nuovo cellulare. Gli incontri di lavoro erano pranzi e cocktail durante i quali ci si spremeva un po' il cervello, d'accordo, ma ce lo spremevamo per cavarne succo buono, onesto, geniale. Come altri milioni di persone avevo qualcosa da dire, però improvvisamente il mondo si era girato verso di me e mi stava ad ascoltare.

Il giorno dopo una rappresentazione, quando le voci a poco a poco ti si spengono in testa e nascono i dubbi, e le certezze assieme, arrivava sempre la telefonata di un nuovo amico o un vecchio artista che in tre parole riportava la giusta considerazione o scandiva con equilibrio un nuovo dubbio. Mi sentivo fortunata, che poi è come sentirsi felici: ero riuscita a scovare dove stava l'umanità che mi piaceva, per loro il mio cervello, e i miei vestiti nuovi, quelli comprati con i primi soldi veri, senza guardare il prezzo sul cartellino.

E Stefano faceva parte di quell'umanità, ma era dalla parte fuggevole. Appena io mi accostavo con entusiasmo a qualcuno o a qualcosa lui era pronto a denigrarla. Era come se io entrassi continuamente in magnifici castelli che lui dietro di me abbatteva costringendomi a vederne, dopo poco, le macerie. E non era gelosia, per lo meno non verso di me. Era un modo di vivere, era un continuo sprezzo per ciò che si aveva, un disincanto costante che io non solo non comprendevo, ma che mi sembrava insozzasse tutto. L'arte, sentivo, dovrebbe contenere e nutrire, stigmatizzare l'errore per realizzare la speranza. Ci lasciammo per inerzia senza manco deciderlo, approfittando della geografia dilatata dalle tournée. Ma in fondo Stefano non era dentro l'arte, era a un suo margine, che poi era il margine in cui mi spinsi anche io accettando la direzione artistica di quel piccolo teatro, rientrare in città, in trincea, nel tempo dei teatri di guerra.

Terza parte

# Quindici

La guerra era iniziata alla fine della prima Repubblica, lí dove pareva che le monete dell'Hotel Raphaël come grandine, come pioggia, avessero cominciato a lavare tutto. Invece essa silente e sotterranea era iniziata, aveva usato cunicoli già scavati e ne scavava di nuovi, per poi rendersi manifesta direttamente negli animi. Non era stato necessario spargere gas, o iniettare veleni, e non era neppure cosí necessario sparare e incarcerare, come nelle dittature del brivido. Qui non era reale, il dolore: era etereo, per questo pareva un racconto di fantascienza piuttosto che una pagina di storia.

La psicologia, dopo aver guarito, era stata scienza dei pubblicitari, degli addestratori al marketing, degli sparring partner per improvvisati amministratori, dei ghost-writer per insegnanti di aerobica finite a far le ministre dello Stato. Ma senza altezza, senza che Mefisto c'entrasse nulla. Perché Mefisto è l'alter ego di Dio, mentre qui, del *Faust*, vi erano solo improbabili spiriti goffi facili da prendere al sacco e rutilanti su biciclette a una sola ruota.

Del diavolo, solo fraudolenza.

C'era un racconto, su «alter alter», che mio padre leggeva a me e Alessandro: diceva di un dittatore che pensava di comandare il mondo, invece il suo uomo di fiducia riusciva a ipnotizzarlo per imporgli le sue decisioni, ma anche quest'ultimo era diretto dal maggiordomo, il quale a sua volta dal portiere, il quale dal fruttivendolo e cosí via, fino a scoprire che il piú povero del mondo, mediante l'ipnosi, era il padrone del mondo. Noi, anche mia madre, quando

lui ci leggeva questa storia, restavamo immobili impietri-
ti, e poi ci scioglievamo solo pensando che non era possibile, e glielo chiedevamo, a mamma e papà, andandocene,
che non era vero, vero? E loro ci rassicuravano. Mamma
del tutto: diceva due cose, la prima è che era un racconto
di fantasia, e dopo, scavando e scoprendo come fanno le
madri, le talpe dell'animo, aggiungeva: «E poi non sarebbe possibile perché l'ipnosi è un procedimento complesso,
dopo che sei stato ipnotizzato magari non ti ricordi quello
che è successo, ma di esserci stato sí. Quindi con l'ipnosi
non si può controllare proprio niente».

E siccome lei era zoologa e ipnotizzava le tartarughe,
noi ci facevamo i conti tra tutto quello che separa un ret-
tile da un essere umano, e ce ne andavamo alquanto rasse-
renati. Invece mio padre diceva una cosa assurda, diceva:
«E tanto pure se fosse vero a voi cosa cambierebbe? Se a
decidere la guerra o quanto costa la roba nel supermercato
o se bisogna pagare il ticket o se devono esistere le fron-
tiere, se lo decide il piú povero o il piú ricco della terra, a
voi cosa cambia?»

«Claudiooo…!» lo zittiva mia madre dalla cucina, e
noi ce ne andavamo tormentati, lungo il corridoio infinito, razionalmente placati ma con un enorme terrore dentro
il petto, che io mi spiegavo cosí: posso accettare di essere
comandata ma devo sapere da chi, devo poterlo riconoscere, eleggere, dargli colpa o merito. Voglio sapere chi è, se
non lo so mi fa paura.

E mio padre come un gatto ci faceva un ultimo agguato sperando che la moglie non lo sentisse, lí, proprio dove
il corridoio svoltava nelle nostre camere da letto: «Ma se
sarete voi a decidere le cose: questo cambia, sí».

Non avevamo deciso niente.

Quando ero piccola, certe vecchie degli antichi portoni di Pompei si vedevano in inverno, attorno al braciere,

e puzzavano assai di cenere e cianciando di qualunque cosa – con quelle mani raggrinzite dal dolore della vita in sé, piú che dalla sua manifestazione immanente, che è la vecchiezza – aspettavano che gli ultimi rossori della cenere sparissero. Senza speranza ci parevano a noi bambine, nelle nostre piccole commissioni a chiedere uova fresche di gallinella o mandarini di alberi non trattati, senza speranza ci parevano quelle mura spesse a cielo aperto, che erano ginecei e piazze private, in bianco di capelli e nero di vesti: dalle sedie di legno impagliate si alzava una, o un'altra, andavano a provvederci di ciò che le nostre madri avevano richiesto.

Altre ci si affaccendavano intorno, ringalluzzite dalla fanciullezza e attratte e terrorizzate, che a noi pareva un sabba casalingo, piccole streghe di paese dai volti noti e dai nomi chiari, che conoscevano noi e le nostre madri, i nostri compagni di classe e i loro nonni. E un gran da fare si davano, sollevandoci i ricci, o le code di cavallo, toccando la stoffa stampata dei cappotti, lagnandosi che portassimo le gonne corte e senza calze di lana, e anzi a tirare un poco per farle diventare piú lunghe, poi ci chiedevano gracchiando se fossimo fidanzate e con chi. E qualcuna di noi lo era, con un compagnello delle medie che le aveva regalato un piccolo anello uscito a Pasqua da un uovo, o una lettera con le parole giuste dettate dalla madre. Allora dicevamo i cognomi e le famiglie e c'era sempre una di queste vecchie a chiosare che: «Noooo non fa per te».

E un'altra invece la correggeva: «Perché, che tiene quel giovane?»

«Non c'ha un'arte né una parte, non c'ha i natali non appartiene a nessuno».

«Eh ma io lo conosco è un bravo giovane, non ruba, non gioca».

«E che significa che non ruba? Per fidanzarsi con una di queste belle figliole devono avere voglia di lavorare, andare bene a scuola, avere giudizio nelle cose, un futuro gli devono dare. Non ruba, non gioca, e mica sono medaglie. Poi bisogna metterci qualcosa di volontà vicino».

E allora l'ultima chiudeva sempre: «Nel paese dei delinquenti l'assassino è re e i ladri di polli sono gente per bene».

Ugualmente noi si viveva cosí.

Tornare a Napoli mi permise di vedere di nuovo Gianni, di vedere come le febbri passano lasciando solo una spossatezza che poi diventa di nuovo corpo sano e si è pronti a ricominciare. Non ci amavamo piú, lui aspettava un bambino con la sua compagna, cosí aveva dovuto chiedere il divorzio in fretta dalla nostra protetta di cui avevamo perduto le notizie in una qualunque delle strade del mondo. Si chiamava divorzio in contumacia. Gianni si era impiegato senza gioia come consulente legale in una compagnia d'assicurazioni appena aveva saputo della gravidanza, e si erano spostati in periferia per pagare meno soldi di pigione.

Il luogo dove vivevano aveva un nome bellissimo, Pianura si chiamava quel quartiere, e si raggiungeva facilmente dal centro con la ferrovia Cumana, quattro fermate e si arrivava. Era ancora Comune di Napoli, ma aveva questo nome che faceva pensare a praterie sconfinate e fughe di cavalli al tramonto. Lí le case erano brutte, tutta edilizia residenziale e moderna, senza infrastrutture, ma costavano meno e si poteva avere una parvenza di dignità in affitto. Poi c'era la stanzetta da preparare, pareti da dipingere di rosa, perché sarebbe arrivata femmina. Cosí Gianni pendolava tutti i giorni tra Pianura e Posillipo, dove lo aspettavano pratiche automobilistiche e sinistri, vangate di sinistri strani.

– A Napoli non si capisce mai dove finisce l'avvocato e dove comincia il cliente, – diceva, contento di non occuparsi di penale. Forse contento di tenersi al margine, finalmente, perché piú distante sei dall'occhio del buco nero, meno risenti della sua forza, meno ne sei consustanziale.

La sua compagna era una latinista, si occupava di Seneca

e amava la *Fedra* in particolare, ma dopo il dottorato aveva perduto ogni stipendio e ogni altra possibilità di continuare la ricerca, cosí si era ripiegata sulla pancia. Gianni aveva provato ancora un poco con il diritto del lavoro, che era la materia che piú gli stava a cuore, ma poi aveva smesso perché a difendere i diseredati non riusciva a comprare la culla. Si poteva solo scegliere tra le due corna di un bue infuriato.

Quando ci rivedemmo sembrava uguale, perché era nato gentile e nessuno e nulla l'avrebbero mai mutato. Però si era inasprito dentro, lo compresi dalla frase che mi disse congedandosi. Perché lui era sempre stato per le battaglie parlamentari, non quelle armate, e aveva sofferto di come avessero precarizzato la fatica, avvilendo il popolo, e dunque sparpagliandolo perché non recuperasse mai la forza. E le vendette non avevano disinnescato il processo perché la vendetta arriva sempre dopo, per sua natura. Però correndo a prendere la Cumana mi salutò:

– Ma noi veramente abbiamo pensato che si poteva fare con le leggi? Con i fucili si doveva fare.

## Sedici

Quando risalii la Sanità per prendere possesso del nuo-vo teatro, la città mi venne addosso con boati di motoret-te a precipizio dal Moiariello, angoli armati per lo spac-cio, bufere dalle finestre dei bassi, turisti giapponesi in fila indiana lungo il cimitero delle Fontanelle. Strade che un tempo finivano in scale, ora sbranate e riaperte, strade un tempo illuminate da lampioni di ferro battuto, ora chiuse da divani e magnolie, velocità nei passi, scatti bruschi nel-le azioni, e un occhio gigantesco a seguirmi: l'occhio del quartiere che mi vedeva arrivare e voleva sapermi prima di tutto a tutti i costi. Il teatro aveva una sola sala agibile, e un costante rosso.

– Ogni volta che apriamo la saracinesca paghiamo set-tecento euro di interessi alle banche, – mi disse il proprie-tario mostrandomi gli spazi, presentandomi agli interni, che risultavano tutti soci di un'associazione e nessuno di-pendente. Avevamo cosí tanti debiti che l'ufficiale giudi-ziario veniva a pignorarci ogni settimana, noi indicavamo come pignorabile sempre una cosa: la cinepresa, perché era stata piombata con la fiamma ossidrica a terra ed era im-possibile portarsela via. Poi facevamo sparire qualunque altro materiale dalla cabina di regia e dal palcoscenico. Avevamo i ragazzini del quartiere che ci davano l'allarme, in cambio noi li lasciavamo giocare a pallone nello spiaz-zo, gli comprammo pure una porta vera con la rete. Una sola, perché dall'altra parte c'era una grande pendenza, e comunque era di pertinenza di un parcheggiatore alquanto aggressivo. Però i bambini ci furono utili, e ugualmente un impiegato del Comune, amante di Pirandello, che ci faceva avvisare almeno ventiquattr'ore prima. In realtà avevamo anche una seconda sala, piú piccola e in basso, con delle gradinate molto ripide, che poteva ospitare una sessantina di spettatori scomodi. Ma non aveva le uscite di sicurezza, e manco l'impianto a norma, e mentre le norme aumentavano e si proporzionavano all'Europa noi restavamo sempre piú indietro. L'unica programmazione che riuscii ad affidare a quella sala furono i *martedí anarchici*, cioè decisi di lasciarla alle compagnie che avessero voluto: un giorno di prove, il giorno dopo in scena, lo sbigliettamento era paga da dividere. Ma il teatro intanto affogava, anche se riuscimmo a mettere su due spettacoli a costo niente, un Viviani e un'opera originale di improvvisazioni fatta con le donne del quartiere, che andarono benino e presero pure una parte di critici, quella parte che aveva bisogno di noi per essere credibile quando poi parlava bene degli allestimenti costosissimi e nulla nuovi degli stabili. Insomma qualcosa pure si muoveva, e la svolta economica fu affittare la sala grande a una compagnia di danza che faceva continuamente corsi, lezioni e laboratori, e alla fine debuttava con costosissimi saggi pieni di ragazzine senza talento e mamme dal portafogli facile. Questo non ci salvò però dall'ultimo pignoramento, quando l'impiegato comunale ci avvisò che avrebbero preso le poltrone e io dovetti chiamare in gran fretta zio Raffaele e Gianni e chiunque conoscessi ancora in città, e, armati di chiavi inglesi e avvitatori, smontammo trecento poltroncine tra la sala e la galleria e le nascondemmo giú, nella sala piccola, che non era manco accatastata.

Fu quello, il teatro vuoto, sradicato e nudo, la scenografia dello spettacolo di Marina e Alessandra che lavoravano caparbie da mesi con le donne del quartiere. Si produsse con millecinquecento euro. Le donne erano vestite di nero e iniziavano col pubblico già in sala a stendere teli di plastica

trasparente dalla galleria, come fossero stati panni da far
asciugare. Mischiavano allo stropiccio della plastica quello
delle loro voci, allungate in urli antichi, pianti di donne di
pescatori e marinai. Con uno di questi teli una donna tentava di impiccarsi, ma veniva salvata. Poi scendevano sul
palcoscenico e il palcoscenico diventava uno scoglio, una
banchina che guardava verso di noi che stavamo in piedi,
che forse eravamo mare, o spettatori silenti, o superficie.

Dal mare sbucavano donne, come se avessero tentato
il suicidio in acqua e venissero poi tratte in salvo, lo vo-
lessero o no. E una lunga fatica era stare sullo scoglio del
palcoscenico, ché si dovevano riposare guardando verso
la superficie. E si chiedevano cosa fosse quel mare, se una
morte lenta o il primordio di una nuova vita, e ci copriva-
no poi, con quel telo, passandocelo a tutti sulle teste, che
inevitabilmente alzavamo le mani per lasciarlo scorrere. E
le nostre dita diventavano spruzzi e gocce, e onde.

Però intanto era successa questa cosa: mi andavo accreditando. Le azioni civili erano pensate bene, ma più
di questo erano le interviste. Io sapevo parlare, e sapevo
citare, e questo in qualche modo finiva sui tavoli giusti.
Così mi andavo accreditando senza saperlo: all'indirizzo
del teatro arrivavano per me inviti alle mostre d'arte contemporanea e a piccoli cocktail nei palazzi storici, e tutto
era elegante e misurato. Mi informavo prima di andare o
di scegliere l'abito, ed era così: erano tutti ex comunisti.
Anche quella direttrice voluta dal governatore della Regione, che per poter mantenere aperto il suo museo faceva party al piano terra con consumazione obbligatoria, e
sbigliettava così da risultare tra i musei più visitati d'Italia. In fondo sceglieva il male minore a fronte di una legge iniqua che non garantiva al museo di sopravvivere in
quanto tale, e seppure era impensabile credere che uno solo di quei ragazzi accannati che erano entrati per ballare
e bere si spingesse poi a notte fonda, titolare di regolare

emesso biglietto, su per le scale a visitare *Il cubo di paglia* o *La vestaglia del male* di un artista, eppure i piedi in quel museo ce li aveva messi.

Gli artisti ospitati dal museo erano gli stessi che avevano effigiato le fermate della metropolitana nuova, nella *grandeur* newyorkese del governatore; poi in sé la metropolitana passava ogni dodici minuti, che a perdere un treno facevi tardi al lavoro, e l'ultima fermata sbucava nel vuoto, sulla luna di Scampia, però almeno c'era, e quello era il male minore.

Mi informavo, mentre andavo, erano tutti di sinistra e odiavano il governo. E difatti, poi, comprati pure io i vestiti morbidi e tagliati di traverso, con le scarpette basse, ero molto salutata e tenuta in gran conto. Mi accreditavo senza accorgermene, e insieme ero quella che stava facendo i martedí anarchici in una sala del centro degradato. Cosí ero perfetta ai miei occhi e a quelli dei giornali perché vestivo Clark Kent alla prima del balletto, e poi Superman giú nello sprofondo della sala piccola.

Stavo giusto a metà: ero credibile se guidavo il corteo dei precari dello spettacolo – concentramento piazza Mancini –, e pure al festival di Ravello, mentre entravo in abito lungo a Villa Rufolo. Una cosa aiutava l'altra.

Un giorno, ed era una mattina lenta di sabato, file lunghe su via dei Mille all'esterno dei negozi per una delle eterne feste o degli altrettanto eterni saldi, fui invitata come giurata a un concorso di drammaturgia al femminile. La premiazione si svolgeva in un portone antico, ex circolo ricreativo in tempi di nobiltà, ora galleria d'arte. Arrivai che il presidente già mi attendeva: e per galanteria mi venne incontro all'ingresso, il giornalista che conduceva mi presentò con grandi complimenti; assieme a me, giurati, c'erano uno scrittore molto in vista e un critico. Ma il punto non era questo, il punto è che mi conoscevano in molti. E quando finí la premiazione e iniziò il cocktail mi conoscevano tutti, avevano collegato un volto a un nome, forse a qualche titolo di sala; il direttore di una biblioteca, amico del gallerista, mi accompagnò, con il bicchiere in mano, a vedere qualche opera tra quelle esposte. La hostess mi allungò un catalogo, il gallerista sopraggiunse per regalarmelo. Tra gli invitati c'era il mio ex proprietario di casa, quello che ci aveva arredato la cucina con il tavolo da poker. E in quel periodo e in quei luoghi mi ritrovai a pensare che chi aveva la lampada Arco di Castiglioni in casa viveva meglio di me. Perché ciò che mi riscosse da quel pensiero fu una telefonata della direttrice del Teatro Regione Campania, che mi chiedeva se volessi cenare con lei e con Marcello Esse.

Da Ciro a Santa Brigida era il piú bel dopoteatro della città. Ha sempre avuto qualcosa di assurdo in quel suo voler essere romantico: una fila di tavolinetti a due lungo una balconata chiusa da vetro e ferro battuto bianco, ciascun tavolino con una sfera illuminata al suo centro, da metrò francese, e sospesa, la balconata, sulla scritta viola al neon «Ciro». Ciascun tavolino con una candela. Quando tornavo dal San Carlo con lo zio Raffaele, e la sua fidanzata stava sotto esame cosí che non c'era nulla in frigo, facevamo sempre una sosta lí, a mangiare la genovese, fatta con i rigatoni e con il pezzettino di carne nel piatto, e io guardavo lo zio, che magari fuori pioveva e piovevano ancora alle nostre orecchie le note di Cherubini, e io, senza dirglielo per non offenderlo, pensavo che quello lí era solo un inizio ed era un bell'inizio.

– Clelia.

Mi voltai alla mia destra, avanzai con passo convinto verso la tavola che mi stava davanti. Quello che si alzò a liberarmi dalla giacca era Marcello Esse, un uomo nato in poco piú di una notte, in quel periodo che qualcuno, che nulla sapeva del Quattrocento, aveva soprannominato «Rinascimento napoletano». Era nato cosí, che aveva ottenuto un incarico di consulenza per le politiche culturali poiché non era stato eletto nel partito di punta. Il quale partito, intanto, per non essere costretto a pensarci, aveva pure rinunciato, nella sua sigla, alla *s* di sinistra, e se ne andava troneggiando con un nome del tutto lapalissiano, dato che si era in democrazia, e che in quella democrazia il Parlamento si esprimeva per partiti politici. Inoltre Marcello, per amore delle antichità, aveva fondato un ente di sostegno al recupero di certi palazzi d'epoca nei quali organizzava vernici e performance che andavano sempre crescendo di pari passo con i bandi ministeriali che vinceva e con i circuiti che andava allargando. Era uno di quegli uomini che di una carica ne fanno un regno, un uomo molto bello, abbronzato tutto l'anno e con la camicia giusta, un piacere guardarlo. E adesso stava qui a scostarmi la sedia.

– Grazie.

Poi c'era la direttrice attuale, che io conoscevo bene, perché era amica di Stefano, e perché aveva promesso di produrmi un *Otello* a inizio prossima stagione, per il quale ero riuscita a convincere un attore anziano e bellissimo a dipingersi di nero la faccia e a recitare quasi tutto il tempo di spalle, per privilegiare Jago ché mi sembrava alla fine che Shakespeare volesse parlare di questo. Ed era un buon periodo per noi registi rasenti la quarantina, di venir sdoganati da attori famosi di scuole classiche, perché anche noi sdoganavamo loro portandoli dal teatro cosiddetto borghese alla cosiddetta ricerca. Ma tutto molto cosiddetto, come avviene nelle categorie quando sono gli altri a deciderle.

Era una bella donna di ex aristocrazia, avvocato che mai aveva esercitato se non l'arte del matrimonio. Era conosciuta al TRC per saper parlare con tutti, tenere la porta dell'ufficio sempre aperta, non timorarsi di raggiungere le zone periferiche della città misconosciute agli stessi amministratori locali, e difendere i progetti nei quali credeva. Si vedeva che era molto stanca, ma come sanno essere stanchi gli aristocratici: addossandotene un poco la colpa esistenziale, come stessero sempre appoggiati al tuo braccio.

La salutai con affetto alquanto sincero, non era difficile sentirsi sua figlia e mi stava per produrre uno spettacolo. Oltre a noi tre c'era l'ufficio stampa dello Stabile, un uomo elegantissimo, affettatamente gay, che conosceva vita morte e miracoli degli avvenimenti teatrali italiani degli ultimi trent'anni e, nel caso, pure nozioni e preci.

Bene, ci sedemmo a mangiare, e Marcello Esse mi suggerí il banco di pesce freschissimo che dormiva sul suo letto remoto di ghiaccio. Davanti a tutto c'erano le ostriche e i gamberoni.

– Clelia, – esordí la direttrice, – io mi vedo costretta a rinunziare al mio incarico, troppi grattacapi e non ne ho piú le forze, e quelle residue non le dedicherò al vostro teatro. Arrivo al dunque: le piacerebbe essere la nuova direttrice artistica del Teatro Regione Campania?

E invece di guardare me, guardò Marcello: – Cosa c'è che non va, voleva essere la prima donna a dirigere uno Stabile?

– La veda cosí: sarà la piú giovane.

– Non sono piú cosí giovane.

– Lo sei, Clelia, saresti la piú giovane direttrice di uno Stabile, la piú giovane di un sacco di cose in un paese cosí, – chiuse l'addetto stampa.

– Ma va fatto contestualmente: nello stesso consiglio di amministrazione io mi dimetto e il consiglio la nomina.

Non avevo detto neppure ancora sí. Invece chiesi: – Perché avete pensato a me?

– Se le produciamo un *Otello* in apertura stagione significa che crediamo in lei, Clelia.

– Sei inattaccabile: hai cominciato con il piú prestigioso premio teatrale italiano, hai già parecchie regie.

– I soci sarebbero tutti d'accordo, ma il cambio va fatto subito. Mi sono lungamente consultata con Stefano e con altri direttori di stabili, abbiamo pensato che il suo nome fosse quello giusto. Lei è napoletana da molte generazioni, da sempre, vero?

– Per quello che ne so io, la nonna Franca è arrivata in città solo nel 1914.

– Diamoci del tu.

Me ne andai nel bagno.

Se si può essere legati a un bagno, nella vita, ebbene io sono legata a quello di un ristorante. Mi guardai allo specchio e mi chiesi se lo avrei saputo fare. E mi risposi che avrei avuto un apparato enorme, e non ci sarebbero state poltroncine da pignorare: era l'ambiente stesso che per proteggere il teatro avrebbe protetto me. E se poi non potevo fare piú l'*Otello*? E poi, non si viene chiamati per concorso? Vabbè, i miei genitori ne avevano fatti tanti di concorsi, e pure mio fratello, era finita l'epoca, e poi l'arte è una cosa diversa. Dovevo decidere dunque nel cesso di Ciro a Santa Brigida. Allora feci pipí, poi mi lavai le mani, mi guardai ancora nello specchio sopra le mattonelle anni Settanta. Lo specchio disse:

«A cosa sarebbero servite, altrimenti, tutte quelle prove di volo?»

# Diciassette

Era la prima conferenza stampa della mia vita in cui non andavo a parlare di un mio spettacolo. Nessuna visione, né musica, né movimento di attori da raccontare ai giornalisti assiepati. Solo nomi e date nomi e date, scelte volute e non scelte. Tutta la fatica fu rendere estemporaneo un discorso che avevo definito da giorni, e coordinarlo all'abito: mettere naturalezza nella preparazione, accogliere i giornalisti con il sorriso convincente e saper ringraziare tutti: l'assessore alla Regione, che aveva mandato Marcello Esse, e quello della Provincia, che era venuto di persona. Girarmi, dopo aver parlato del cartellone, nella sala piena di stampa e operatori, girarmi a guardarli, io sul palcoscenico ma seduta in una sedia di plexiglas trasparente e davanti a un tavolo di vetro altrettanto trasparente, ché non ci fossero dogane tra me e quello che avrei detto, tra la programmazione e chi la doveva ricevere. Cosí quando fu il momento mi voltai a guardarli e li ringraziai, i rappresentanti dei due soci fondatori del TRC, quelli che erogavano i soldi, e mentre dicevo grazie sentii, proprio vidi, che in quel *grazie* detto da una donna di neppure quarant'anni dal palco di un teatro, come un lavacro, vi era la remissione dei peccati. I giornalisti scrivevano.

Avevo conservata questa attitudine, dell'infanzia, di astrarmi d'un tratto da me medesima e andarmene fuori dal corpo, possibilmente in alto, ma anche lontana e laterale andava bene, o frontale e distante. Avevo intatta l'abitudine a cercarmi dal di fuori, era l'esercizio della sala, sí, di quando devi mostrare all'attore un movimento ma anche subito dopo scendere dal palcoscenico per guardarglielo fare. Ma la mia tendenza veniva da prima. Ricordo all'università, un esame: ero davanti al professore di antropologia culturale, mi aveva accompagnato Alessandro, e per tutto il tempo in cui avevamo atteso che fossi chiamata avevamo scherzato e parlato d'altro, io non avevo potuto bere caffè perché avevo lo stomaco annodato, mentre lui che da poco aveva vinto la cattedra in Lombardia faceva scorte di caffeina nera. Mi mantenevo in quel punto della coscienza in cui da un lato continui ad avere un atteggiamento sociale, e dentro ti riservi lo spazio della concentrazione.

Quando il professore mi chiamò io ero andata in bagno, Alessandro mi tenne il turno e cosí non ebbi nessuna anticamera per andarmi a sedere davanti alla commissione.

«Mi parli dell'evoluzione dall'oralità alla scrittura», mi disse mentre avvicinavo la sedia alla cattedra.

Io la sapevo, la sapevo, allora mi rilassai: e nel momento in cui mi rilassai invece di rispondere mi guardai. Stavo seduta da qualche altra parte a osservarmi mentre tutta felice sapevo cosa mi avevano chiesto e l'esame sarebbe andato bene e a qualche passo da me c'era Alessandro con il monouso pieno di caffè in mano che mi seguiva con gli occhi sgranati.

«Va bene questa non le viene, proviamo con un'altra domanda: il capitalismo culturale».

Non la sapevo e fui bocciata.

Adesso cosí stavo, con tutti quei giornalisti seduti davanti a me in sala, che si sventolavano per il gran caldo sulle poltroncine di velluto, e chi seguiva e chi no, e chi guardava la cartellina e chi mi guardava le gambe mentre io in realtà stavo remota nascosta profonda dentro uno dei palchetti di terza fila, con la mia divisa da maschera, protetta dal semibuio e mi sentivo mentre ringraziavo gli sponsor, la Banca e il Credito: li ringraziavo per il teatro, a nome dello Stabile che ero stata chiamata a dirigere, ancora sorridevo, «la piú giovane direttrice di teatro Stabile d'Italia, il segno di un passo, di un cambio generazionale».

Avevo un bel rossetto, brillava giusto al centro del labbro inferiore mentre concedevo il sorriso al responsabile immagine e relazioni esterne della Banca.

– Ci sono domande?

– La riduzione del Fondo Unico ha avuto ripercussioni sulla programmazione?

– No, perché ho tolto uno spettacolo dagli abbonamenti e siamo riusciti a rientrare nelle spese.

– Ma cosí gli abbonati pagheranno lo stesso prezzo per vedere uno spettacolo in meno…

– Meglio che non vederne affatto, le pare?

Avevo risposto bene, mi ricongiunsi con me stessa nel foyer per il brindisi.

Compresi in pochi minuti che il mio ufficio sarebbe divenuto la mia casa. Lo capii perché decisi di cambiare i mobili e ridare colore alle pareti e, per quella orchidea che mi aveva mandato Stefano da Milano nel giorno del mio insediamento, commissionai su misura un supporto in legno ecologico. La misi sotto la finestra, ed era una finestra bella, che faceva angolo tra il mare e la città, in cui filtrava sole per cinque o sei ore mattutine: quelle piú proficue, poi tramontava ancora giovane dietro lo spigolo orientale del Jolly Hotel. Alessandro invece mi aveva regalato una scatola di latta piena di pastelli e un blocco da disegno. «Un foglio per ogni giorno, un disegno per ogni idea». E quando ero stata pronta, e avevo steso il primo foglio del giorno nuovo sul tavolo, era entrata la responsabile dell'amministrazione che mi aveva messo davanti mille e una carta, e con il direttore di produzione avevano spiegato: – Il disavanzo.

– Lo fanno le banche.

– Quelle che ci sponsorizzano?

– Non quando fanno da sponsor: quando erogano soldi sulla base delle lettere d'intenti.

– Perché poi gli intenti non si raggiungono.

– Cioè Regione e Provincia non pagano.

– O pagano in ritardo.
– E aumentano gli interessi.

Cosí si aveva da lavorare: con i soldi del Monopoli. Su promesse e debiti, essendoci una voragine ad aspettarmi, coperta dalle garanzie istituzionali, ma che nessun botteghino e nessuna campagna abbonamenti sarebbe mai da sola riuscita a colmare.

Dopo aver presentato la stagione finalmente riuscii a trovare un pomeriggio libero per andare a conoscere la bambina di Gianni. Tentai di arrivarci con un taxi, sul tardi, direttamente dal teatro, ma il tassista al quale chiesi la destinazione mi disse che no, che lui lí non ci sarebbe arrivato, che il giorno prima un collega era stato aggredito, e la macchina rovinata, poi usata come transenna a difendersi dalla polizia, infine distrutta dalla polizia.

Accadeva di notte, poiché quella piana, che poi era diventata quartiere, aveva origini ancora piú antiche, ed era uno dei vulcani spenti che costituiscono una teoria ininterrotta per tutti i Campi Flegrei fino ai laghi d'Averno e Fusaro, e oltre ancora con il Monte Nuovo e perfino con Procida, che ad affacciarsi da Terra Murata verso la Corricella non c'è da avere dubbi: di trovarsi in un'era geologica che con gli uomini non ha nulla a che vedere. E questo vulcano spento di Pianura era lo sversatoio colmato dei rifiuti di ogni dove del paese, e una volta colmo, anche gli abitanti erano colmi di sdegno e rabbia, cosí che scendevano per strada la notte, quando i primi camion di rifiuti arrivavano, per fermarli e rispedirli al mittente. Il puzzo bloccava i pensieri, i liquami raggiungevano le falde acquifere, le leucemie dilagavano. La notte era una guerriglia urbana, i giornalisti erano venuti e andati, una commissione parlamentare sempre aperta, ma insomma il tassista si rifiutò e io tentai di raggiungere Pianura in Cumana, come Gianni faceva ogni giorno, due volte al giorno, da quando era iniziata la seconda stagione della sua vita. A Fuorigrotta

il treno si fermò e l'altoparlante ci disse di scendere tutti.
Giú scoprimmo che la popolazione aveva interrotto i binari, che c'era un servizio sostitutivo di autobus. Ma io non
me la sentii, allora mi sedetti scorata in un bar, poggiai il
pacchetto con la tutina rosa mesi 1/3 che avevo comprato
e telefonai a Gianni.

– Ma io non riesco ad arrivare a casa tua.

– Lo so, io mi sono ritirato da poco, qui è un inferno.
Stiamo con le tapparelle abbassate dal lato della strada per
non farci intossicare dai fumi.

– Ma non è possibile, la polizia? I pompieri?

– La polizia sta qua, Clelia, sta qua da prima di noi, fa
cordone per far sversare i camion... ieri sera mia madre
le ha prese.

– La stampa dice qualcosa.

– La stampa non vede, anche lei non vedeva che le man-
ganellate le danno da sotto gli scudi, e poi è caduta. La situazione migliora dopo le tre, ma c'è un presidio permanente.

– Che posso fare?

– Chiama tutti i giornalisti e i parlamentari che cono-
sci, che vengano a proteggerci, a denunciare.

– Mi dispiace.

– Non importa, verrai un'altra volta.

– Mi dispiace per la bambina. È un paradosso.

Chiamai tutti i giornalisti che conoscevo, ma le testate
erano già allertate, allora andai in rubrica a cercare numeri
di deputati: tutti quelli che avevo conosciuto non lo erano piú. Per una contorsione della legge elettorale il partito non era piú rappresentato in Parlamento. Il piú gentile
mi disse che avrebbe chiesto a un amico del primo partito
d'opposizione, lo stesso che gli prestava il tesserino per
andare qualche volta in carcere ad assistere i detenuti che
se ne morivano di carcerazione e iniquità.

Menomale che c'era l'*Otello* da allestire. Perché altro
che togliermelo, ora me lo andavo facendo proprio con tut-

te le necessità e tutte le virtú, e comunque prima di fare molte cose chiamavo Stefano.

Attorno a me erano nati, sbucati dall'asfalto delle strade e dal marmo dei pavimenti, fiori o funghi avvelenati, uomini come lui, molti uomini come lui. Già una volta mi ero girata e all'improvviso, sul richiamo di un alito di vento, avevo trovato il Penhaligon's provenire da un'altra camicia. Ugualmente elegante, di quell'eleganza distratta che si componeva un pezzo alla volta, dai negozi e dagli atelier di tutto il mondo, di tutta una vita. Ma io chiamavo lui perché mi mancava una famigliarità, il dire fidandosi. Mi confidavo, gli chiedevo di chiarirmi dei dubbi, o mi facevo raccontare chi fosse la persona che stava facendo anticamera e lui si dilungava in storie di fidanzamenti e divorzi celebri.

Qualche volta facevamo l'amore per telefono, cosa che mi faceva addormentare subito con il sorriso sulle labbra, per poi svegliarmi repentina dopo qualche ora con le stesse labbra in una smorfia di disgusto. Mi alzavo, attraversavo la casa vuota a piedi nudi sulla graniglia fredda, andavo in bagno. Mi fermavo alla portafinestra del disimpegno a guardare la reggia di Capodimonte sempre illuminata, e le palme secolari che la superavano in altezza. A volte le sirene di ambulanze o polizia, o qualche litigio di ubriachi in strada mi acquietava, cosí come da piccoli io e Alessandro, da due lettini gemelli, ci addormentavamo tenendoci la mano e raccontandoci tutti quelli che restavano svegli mentre noi dormivamo:

«Lo spazzino e...»

«Il panettiere!»

«Eee... il custode degli scavi archeologici e...»

«Il pescatore?»

«Quello che porta il treno, e poi...»

«Il poliziotto».

Poi le mani si scioglievano e scivolavano lente lungo il bordo del letto, al riparo del sonno.

Si vedeva che la casa continuava a essere del sarto: il mio ufficio era in teatro, la mia cucina nella trattoria da Antonio, il mio bagno alle Stufe di Nerone, la mia camera da letto aveva i numeri a tre cifre di tutti gli alberghi in cui capitava che mi facessi fare compagnia, dopo un festival o una riunione di lavoro.

Parlavo con Stefano: – Alla fine ho orientato tutta la stagione su Shakespeare perché stavo con la testa nell'*Otello*.

– E questo va bene, ti aiuta ad arginare gli scambi.

– Cioè?

– Cioè visto che dovrai comunque comprare spettacoli che ti fanno schifo, almeno saranno cose che devono stare nella tua traccia.

Almeno un'impronta volevo lasciare, non potendo scavare il solco. Il quale solco però pensavo che con il tempo, il susseguirsi dei tre anni di mandato, poi ci sarei riuscita. Bastava capire meglio le regole, addentrarcisi e mutarle da lí.

– Sí ma il colpo di coda non puoi sapere.

– Indovino?

– No tu non stai qua, non puoi sapere.

– Fammi provare: file di questuanti fuori la porta con il Bardo in tutte le salse?

– Eh.

– Succede a tutti. Basta dire no. Piccina, devi imparare solo piú questo, a dire no. Il resto lo sai già fare.

– E menomale che ho scelto un modello alto.

*Menomale* fu la parola che mi scopersi albergare piú spesso tra i pensieri. Cominciai cosí ad andarli fuggendo, tutti questi ex amici che qualcosa si aspettavano, per essere piú bravi di me alcuni, piú vecchi di me molti, per aver lavorato con me altri. Ma le mie possibilità erano poche e le finanze pure, e cosí ritardavo sempre di piú le risposte. Fosse stata anche una sola mail da scrivere, prendere il coraggio non era facile, e rimandavo rimandavo sempre. Intanto il direttore di produzione mi diceva quali erano gli spettacoli obbligatori, mi piazzava con solerzia le date di tournée dell'*Otello*, mi suggeriva a quali artisti delle scorse stagioni bisognava dar qualcosa. Alcuni erano amici davvero: da loro avevo imparato molto. Menomale che c'erano questi registi desiderosi di arrischiare qualcosa nell'arte loro, cosí anche l'altra parte di programmazione diventava tollerabile. Menomale. Ma una volta scelti, questi, dovetti parlar chiaro:

«Soldi non ce ne sono, posso ospitarti ma la forza produttiva è misera, devi trovarti tu altri partner».

Oppure:

«Senti, io penso meglio esserci, in stagione, che non esserci, però io piú di ventimila euro non posso darti, e la sala di sopra per le prove, ti metti d'accordo con Nunzia, guardate insieme il calendario».

E poi:

«Credimi, da direttore e amica ti dico: se hai una buona idea viene fuori comunque anche senza soldi, i soldi sono l'ultimo problema».

Ancora:

«Il testo è bellissimo, però fai uno sforzo di regia, elimina questi otto attori dal vivo, pènsati piú una proiezione, qualcosa, non sono personaggi principali, si può fare, e nello stretto escono le cose piú belle, lo sai pure tu, ti ricordi quando facemmo tutto il *Mercante* con quattro sedie e quattro maschere?»

Questo era quello che riuscivo a dire, a fare, a essere, quando riuscivo. Tutto il resto erano persone lasciate nel dimenticatoio delle mail, filtrate dalla segretaria, scansate alle prime. Per il privato non mi restava che avere a che fare con l'ufficio stampa, con i direttori di altri teatri del territorio. E con il grafico che aveva curato una campagna pubblicitaria mai vista prima, per la quale avevo investito moltissimi soldi. Ora Shakespeare sfilava lungo i fianchi degli autobus arancioni e il mio *Otello* sobbalzava appeso ai corrimano della metro, e il nome di quell'attore importante, la sua fotografia, sorridevano alla città appena si giungeva al molo Beverello o a Capodichino.

Restava il problema della quinta sala che non riuscivo a tenere aperta. Stava defilata, in un luogo della città ingestibile. La piazza antistante il teatro era arrembaggio dei parcheggiatori abusivi, e quando l'assessore comunale aveva tentato di fare un po' d'ordine per farci debuttare, dei ragazzetti, forse su commissione, avevano reso impossibile la vita agli spettatori a colpi di pallonate e sassaiole.

– La devi chiudere, – interveniva Stefano al telefono.

– I cittadini ci hanno sperato, per rivalutare un poco la zona, hanno appeso certi lenzuoli alle finestre.

– E che fai, depotenzi le altre? Quella vicino a Palazzo San Giacomo o quella antica? Non hai alternativa, Clelia, non c'è da pensarci, si pensa su quello che si può fare altrimenti è tempo perso.

– Come parli tu io non posso scegliere.

– Sí puoi scegliere, anzi devi scegliere: è proprio questa la responsabilità. Però appunto questa cazzo di responsabilità ce la devi mettere tutta… hai il barbaro alle porte, lo capisci?

E poi c'era un odioso linguaggio economico che rovinava l'abnegazione con la quale lavoravamo, come quando avevo fatto quella gaffe sull'Impresa Culturale, che era un progetto iperfinanziato di Marcello Esse, e io, che bene ricordavo l'*Orlando*, chiosai in conferenza stampa con le donne e i cavalieri e gli amori, e le audacie. Dopo mi dissero che si trattava di «impresa» come azienda. Quindi dell'Ariosto restavano solo cortesie, forse l'arme.

# Diciotto

Alla fine del primo anno, per non collassare, dovetti trasformarmi in una donna di ragioneria. Il presidente, che avrebbe dovuto guardare con me intenzioni e conti, era un filosofo di grido con cattedra, andava scrivendo nelle pagine culturali nazionali sentenze di qualunque grado su qualunque argomento, cosí da tenersi alla larga dalle rovine del teatro. E bene faceva. Quindi stavamo soli, io, il direttore di produzione e l'amministratrice, la quale si era arroccata dietro un telefono fuori posto e un risponditore automatico di mail. E pure lei bene faceva.

Criticavamo il governo, quella mattina, me lo ricordo che era cominciata cosí, come al solito: con la rassegna stampa e inquietanti notizie che da un lato ci sdegnavano, da un altro ci facevano sentire su una comune barca di errori e manchevolezze, da un altro ancora, piú remoto, ci scavavano dentro questo sentimento: che non era piú possibile fare nulla se non quello che già stavamo facendo, che a tutto ci si abitua, anche alla guerra. Ma questo sentimento era troppo nascosto perché ne potessimo dire: baluginava d'un tratto come affiorano certi detriti sulla superficie del mare quando gli sei davanti. E l'unica allora, era girarsi e scegliere l'aperitivo. In quei giorni, Bloody Mary.

Ma era mattina e stavamo con Mario e Teresa a commentare la rassegna stampa e a chiederci dove tagliare ancora, come arginare gli sprechi. Pagavamo solo le maestranze, e lo facevamo a rate, eravamo inondati di messe in mora per ritardati pagamenti da chiunque.

– Non so piú dove tagliare, – facevo mentre mi passavano le carte.

– La macchina produttiva è ferma ormai.

– E allora?

– E allora forse non serve tanta gente.

– Non ho capito, – dicevo e passavo altre carte.

– Ci sono dodici co.co.co. a cui tra quattro settimane scade il contratto.

– Dodici? E chi sono?

– Varie figure: di produzione, di segreteria... dàài, questi tre addetti stampa, ma veramente facciamo? Mo di questi tempi?

– E che dovrei fare, secondo te?

– Niente.

– ?

– Clelia, lascia fare al tempo. Quattro settimane e pace.

– Da quanto gli viene rinnovato il co.co.co.?

– Alcuni due, alcuni cinque anni.

– Chi sono?

– Varie figure.

– Ci devo pensare, vi chiamo dopo, dài: lasciatemi la lista.

– Ok.

– Ah.

– Eh?

– Mi fai pure il conto di quanto si risparmierebbe?

Mario scosse la testa. Io mi morsi il labbro e stavo per trattenerlo, quando lui disse, buttando un'ultima occhiata alla foto sorridente che salutava dalla prima del giornale:

– Ma questo non muore mai?

La lista era composta da dodici nomi e dodici cognomi. Alcuni nomi si ripetevano, erano i nomi dei santi piú cari alla città. Ben tre Antonio mi avevano offerto il caffè nello

stesso giorno, neppure una settimana prima. Questa ceri-
monia era pregna di senso, al sud, i nomi non si potevano
scordare: al contrario delle date di nascita essi ricorreva-
no nei calendari di tutti. Arrivavano, con il giorno nuovo.

Mia nonna Margherita era molto grata alla sua beata
settembrina: dopo i sessantacinque anni aveva deciso di
festeggiare solo l'onomastico, e aveva rinunziato al compleanno sperando che gli altri lentamente se lo scordassero.

C'erano due Anna nella lista che mi aveva lasciato il
direttore di produzione, santa di fine luglio: per allora spe-
ravo di essere già in vacanza, magari non lontano, forse
in costiera. Con una di queste si era deciso di fare insieme una settimana di bagni, single entrambe, e quasi co-
etanee. Ci conoscevamo dall'università senza essere mai
state amiche, ma l'ultimo anno a teatro ci aveva stretto,
Anna era dentro molto piú di me, era attenta, e sapevo,
per provenire dagli stessi studi, che potevo delegarle anche una lettera o una risposta diplomatica. Con l'inizio
della bella stagione ci dilungavamo spesso in pausa pranzo,
sulle scale antincendio del retro, o sulla terrazzina della
scenotecnica, a mangiare insalate di polipo in vaschette
di alluminio. Lei fumava, e teneva il cellulare sempre in
mano, lo guardava ossessionata nella speranza di un mes-
saggio da parte di un uomo che non l'amava piú. Io pure
avevo un uomo, sposato con un'altra, e non ci amavamo
affatto, ma cenavamo insieme al Borgo Marinari, e facevamo sesso sul divano rosso salsa del suo studio, poi prendevo un taxi e tornavo alla casa del sarto. Cosí mi era facile sfottere Anna.

«Dài, non puoi mica vivere appesa a questo, sembra
una barzelletta, su».

«E che faccio? Non ce la faccio».

«Ce la fai, ce la fai, l'ultima settimana di luglio ce ne
andiamo insieme a Positano, ti faccio vedere che ti passa tutto».

Vidi lampeggiare la spia del telefono fisso: senza posare la lista schiacciai il tasto del viva voce: – Trecentoquaranta-cinquemila e seicento euro all'anno, lordi, – squillò la voce di Teresa. Fredda di sangue, di calcoli e di altoparlante.

– Grazie, ci penso, – dissi.

Poi invece decisi di non pensarci. Decisi che se ci avessi pensato non l'avrei fatto, e andava fatto. Con quattrocen-tomila euro si allestiva una grande produzione che poteva girare per tutta Europa, oppure due produzioni piú picco-le, ma comunque di gusto. E io lavoravo per fare questo.

Quando compresi si era già fatto pomeriggio. Anna era passata a prendere il caffè nel mio ufficio, e tra il vassoio del bar e la foto di mio fratello stava la lista piegata in due.

Lasciai che scadessero i contratti per otto lavoratori e ne salvai quattro, che mi servivano veramente. Avevo chiamato Stefano e parlato con il suo consulente per molte ore, Anna fu tra i quattro che furono riassunti come sta-gionali tramite un'agenzia interinale, per nove mesi l'anno, quelli di lavoro effettivo. Un'altra stagionale si chiamava Giovanna Ruggeri: il suo nome mi disse qualcosa quando le risposi al telefono.

Era sera, e stavo sulla terrazza del Circolo Canottie-ri con il mio uomo ad altra sposato che fumava la pipa. Aspettavamo i cocktail.

Lui era già abbronzato per i giretti in barca che si ru-bava negli intervalli dal lavoro, e di chiglie parlavano alle nostre spalle, e di certe sedioline piú comode delle altre, da aprire in piccoli cabinati, ma belle come quelle dell'ar-matore originale.

Noi guardavamo il mare e la sua calma, ci indicavamo i pallanuotisti che si allenavano e parlavano tra di loro, tenen-do la linea di galleggiamento sempre alla vita, come una cin-tura, e gesticolavano anche, come fossero per strada, invece nuotavano, con la sola forza delle gambe. Erano prodigiosi.

– Scusami, – dissi, che non avevo spento ancora il telefono e mi era comparso il centralino del teatro, dovevo rispondere.

– Direttrice, sono Giovanna Ruggeri.

Il suo nome mi diceva qualcosa.

– Sí certo dica.

– Come campo io dodici mesi con nove stipendi?

– È una legge fatta male, lo so, – dissi, e sorridevo per tranquillizzare il mio/altrui uomo.

– Perché non ci hai rinnovato il contratto?

– L'ho fatto. Ho fatto il meglio che ho potuto per te per Anna e per…

– Il meglio che potevi era farci lavorare uguale a prima ma con meno soldi e meno diritti? Nelle stesse mansioni di prima?

– Ad altri non è stato neppure chiesto di tornare a lavorare tramite agenzia, – mi ero allontanata, mi ero seduta su una poltrona d'angolo e fissavo un punto qualunque tra la penisola sorrentina e la balaustra.

– Li invidio. Stanno meglio loro, non sono schiavi.

– Ne possiamo parlare in un altro momento, magari da vicino?

– Ho un figlio handicappato.

– Capisco, ci sono i permessi, ne parliamo, davvero.

– Quanto ci hai risparmiato, zoccola, con i miei quattro mesi di stipendio?

Mise giú.

Nel punto in cui stavo guardando affiorò un detrito, sulla superficie brillante del mare. Allora mi alzai e andai incontro all'uomo e al mio Bloody Mary.

# Diciannove

Per fortuna da molti giorni, mesi forse, stava piovendo. Cosí non dovevo essere felice né per finta né per vero. Quel tempo basso di nuvole bucate solo dagli aerei, era l'unica cosa a cui ero grata. Tutti si lamentavano dell'uggia, guardando fuori dalle alte finestre, e ogni espressione di tristezza altrui per me era un lieve doloroso piacere, come quando si inizia a sentire l'influenza nelle ossa, e le tempie che si accendono di febbre. Un virus di cattivo tempo e cattiva gestione e animi cattivi ci permetteva di darci malati e sonnolenti, che era quello che già da tempo eravamo. Ci avevano fatto credere, e noi ci avevamo creduto, e noi ci eravamo creduti, classe dirigente, di essere al centro: solo perché piantati su poltrone di velluto o high tech, solo perché facevamo conferenze stampa al centro direzionale, solo perché i soldi nel portafogli per andare a mangiare pesce fresco al Borgo Marinari e in tasca il bigliettino da visita del dirigente di filiale, solo perché il grande fotografo ci regalava la stampa numerata, solo perché a via Calabritto hanno sempre raccolto l'immondizia, solo perché bastava citofonare in assessorato per vedersi venire incontro lungo lo scalone di Palazzo San Giacomo, solo perché in piena mattina di un martedí si poteva andare a visitare la permanente di Nitsch e considerarlo lavoro, solo per essere finiti nella mailing list e poi nella cocktail list dell'ultimo vernissage, solo per aver aperto i lavori di un convegno, abbiamo creduto di essere al centro e di potere e sapere dire e fare per noi e per gli altri.

E invece noi stavamo lí, remoti verso il mare inesistente confinati stretti, mentre il cuore di Scampia lanciava segni di vita, la musica, i ragazzi, il campo rom, mandavano segnali da un'altra galassia. Non ci eravamo risvegliati dal sonno anche se Felice Pignataro aveva dipinto tutta la vita per tutta la città murales in cui partivano caravelle e tornavano portaerei, e aveva ingolosito i bambini del quartiere alle maschere e alle parate, alla gioia e al Carnevale. Lui era stato al centro e noi eravamo rimasti ai margini. Noi secchi aridi, finiti, e loro lí in corteo a Carnevale, strumenti inventati con legno e cartoni, fisarmoniche tra denti d'oro, ci stavano ricordando che erano vivi, e se fossimo stati fortunati quel sangue pulsato dal centro avrebbe forse raggiunto, in capillari sottili come capelli, anche noi al margine. Potevamo andare e tornare da lí con i nostri taxi. Dire: «all'auditorium di Scampia» e poi «mi fa una ricevuta per favore». Ma non eravamo neppure un bypass, la città era di nuovo capovolta e fraintesa, e noi non ci siamo mai risvegliati dal sonno.

Chiamavo Marcello Esse arroccato nel suo ente che prendeva direttamente dal rubinetto centrale: – Sto perdendo posizioni, la Regione sta saltando, facciamo rete.

– Quanti soldi pensi che prenda io, Clelia? Sí, d'accordo, ti ospito lo spettacolo conclusivo di un laboratorio, possiamo pure pensare a una coproduzione, ma una, non di piú. Io mi occupo di eventi, di avvenimenti.

E gli avvenimenti per etimo avvengono, poi vanno. Mentre gli stabili per etimo dovrebbero restar lí a far radici solide e virgulti. Ma i soldi si spostavano, e bisognava accordarsi.

I soldi si spostavano e a me toccava inseguirli.

Per fortuna era cattivo tempo e la gente si lamentava. Per fortuna la città e il paese erano flagellati di disgrazie, per fortuna la mia percezione del mio male era ottusa dal lazzaretto che mi circondava.

L'Opera di Stoccolma apriva il bando per una regia del *Lohengrin*. Per la prima volta dopo tempo invece di affidare la corrispondenza alla segretaria o al corriere, come fosse un piccolo rito scaramantico, me ne scesi di pomeriggio con la domanda compilata e imbustata, e attraversata nell'aria blu via Depretis, e scansati lampi e tuoni nei pressi della questura, mi rintanai nel salone circolare della posta centrale per mandare una raccomandata.

L'ultima volta che vi ero entrata era stato di lato, dal vecchio salone delle corrispondenze, con i tavoli lunghi e bassi di granito, sediolini rotondi in bronzo e pelle verde bottiglia, ugualmente di verde bottiglia il vetro delle lampade. Il lato della corrispondenza dava su lunghe vetrate e le lunghe vetrate davano su Napoli. Da lí potevi star seduto a scrivere e sapere cosa scrivere: guardando fuori. In questo braccio lungo e confortevole – come sa essere confortevole il rigore architettonico sovietico e quello fascista –, silenziosi, proni, sedevano una donna abbondante di stracci indossati uno sull'altro, accompagnata da un tragico carrozzino pieno di plastica. Poi un uomo bellissimo, che avrà avuto non piú di cinquant'anni e, se fosse capitata la sua vita a Hollywood, oggi inonderebbe con i suoi occhi blu i due terzi di una locandina: questo, con una barba di molti giorni e le mani gonfie andava russando, la bocca aperta sul piano di marmo, il vino del supermercato.

La posta centrale chiudeva alle diciannove, cosí mi consolavo di quelle tre ore ancora di caldo e protezione dalle intemperie, e guardavo con gratitudine, avanzando, l'impiegato che se ne stava sulla porta interna senza dir nulla. Procedevo e sulla sinistra vi erano sportelli oramai chiusi, che solo qualche anno prima, solo ragazzina io che andavo a pagare le tasse universitarie, erano aperti e timbravano di continuo, e la posta era un bel luogo attivo sempre dove andare, affascinante per quelle carte che partivano nei sacchi e portavano tutto. E quand'ero ragazza io andavo per quegli stessi sportelli ora polverosi e bui ed erano accesi e rutilanti di divise grigie a darsi da fare, e piccoli cassettini alle spalle degli impiegati che si aprivano e chiudevano senza sosta, parevano essi stessi da soli a farlo, inseguendo una volontà comune. Avevamo tutti un libretto alla posta. Noi bambini fin dalla nascita, ché il primo regalo di una nonna era un libretto con centomila lire sopra, o quello che si poteva, e si continuava cosí a metter da parte di mese in mese, poi con l'arrivo di piú denari il libretto al portatore diventava nominativo, ma si chiamava cosí: libretto di risparmio, ed era quel tesoro che scavi dopo aver girato assai mari e isole. Se si era bravi – e per un po' non si andava a ritirare nulla –, quando poi, mesi dopo, tornavi, magari per versare, i tuoi soldi erano moltiplicati. Una signora, che pareva sempre sorridere, moltiplicava a mano e annotava al margine, come sul libretto universitario, quel percento in piú che erano utili, perché li vedevi, erano scritti lí e li potevi prendere dopo la fila lunga. Agli occhi della mia mente la posta era un luogo bellissimo, come la centrale del latte, la ferrovia e la pensilina dell'autobus, e nella notte il rumore di ferraglia del camion che veniva a ritirare la spazzatura. Era lo Stato, e come una coperta, corta, sí, lacera, sí, di natura scadente, sí, ma c'era: la coperta sotto la quale dormire prima di destarsi a un nuovo giorno di scuola o di lavoro.

Entrai dunque nell'enorme salone circolare, come una corona di venticinque sfere, venticinque sportelli, tutto marmo, con una scritta che ricordava la sua fondazione calcolata in era fascista e riportata alla luce per amor di filologia cosí com'era, che a due giorni dal restauro aveva fatto gridare allo scandalo e imbrattata tutta di vernice rossa, per il piacere dei governanti, che queste distrazioni di fanciulli andavano trovando: per privatizzare dentro, li lasciavano azzuffarsi fuori.

Ed erano sparite le file e si era arrivati ai numeri, cosí presi un numero e aspettai. E mentre aspettavo nel vociare ingigantito dall'eco della cupola, e molti vecchi vedevo trascinarsi e donne cedere loro le sedute – le raccomandate si facevano sempre allo sportello 12 e bastava guardar lí di tanto in tanto il display luminoso –, si sentirono alte urla dallo sportello 24, quello delle pensioni dalla lettera A alla lettera F.

Era un uomo storpio e pesante, con occhiali rotondi e una pancia in fuori, tutto avvolto nel cappotto, che protestava perché la sua pensione d'invalidità era stata rimandata di un giorno. Aveva fatto tutta la fila, tutti i numeri sgranati per arrivare lí davanti e sapersi dire che c'era stato un ritardo.

– Quale ritardo? – gridava verso lo sportello blindato, ma già non sentiva piú la risposta né il blindo aspettava di rispondere.

– Un ritardo, – forse diceva la signora un poco impietosita e molto stanca per averlo ripetuto tutta la giornata, intuivamo da un muoversi veloce e muto di labbra, il vetro troppo spesso per trasmettere alcunché.

– Quale ritardo? Quelli sono i miei soldi, voi vi state tenendo i miei soldi, ladri.

Urlava e si faceva tutto rosso in volto, e quell'impiegato che oziosamente aspettava sulla soglia del braccio corrispondenza il passare delle ore era corso verso di lui e cercava di calmarlo: – Domani, – gli diceva. – Calmatevi: vi sentite male.

E difatti a guardare la pancia e la vena del collo contrarsi nello spasmo della rabbia pareva che dovesse sentirsi davvero male, ma lui urlava la Ragione e la Ragione diceva: – Sono i miei soldi, voi non potete avere ritardi con una cosa mia.

E manco la sportellista si peritava di chiudere il suo loculo e venir fuori a valutare il disastro che aveva, suo malgrado, compiuto: ma ferma restava dall'altra parte del

vetro guardandosi un poco di qua e un poco di là a cercare le colleghe. E intanto noi cosa facevamo?
– Sono miei. È la mia pensione di invalidità. Sono miei.

E noi restavamo ai nostri posti e in fila con i numeri
ben stretti nella mano, a guardare ammutoliti e anche a
guardarci ugualmente un po' tra noi. E qualche giovane
ben disposto usciva dal gruppo e andava verso lo storpio:
– O' nonno, e jamm, state quiet, diman' arrivano, jamme,
jatevenn' a casa.

E si avvicinavano per sedarlo davvero con una mano
energica, ma allora lui, visto che non lo comprendeva nessuno nel suo diritto e non avendo nulla da perdere piú –
che forse la cena l'aveva già perduta, o la possibilità di pagare pigione –, allora alzò per aria il bastone dello strazio
suo, che gli accompagnava i passi e unico vero sostegno lo
spostava nel mondo, e brandendolo come un'arma le dava a chiunque si avvicinasse. Cosí in breve tempo furono
chiamate delle guardie giurate o dei vigili, non so: perché
mentre questi uomini in divisa entravano, lo storpio, per
lo slancio stesso dei colpi che sferrava sui banconi e contro i vetri e sulle sedute e contro il muro, annaspando, si
attorcigliò la gamba malata nel nastro divisorio di un tor-
nello, e cadde pesantemente sulle sue ossa.

E una volta a terra iniziò a piangere, e piangeva, con
gli occhiali sul marmo delle regie poste, e noi tutti a guardarlo e anche gli agenti zitti e fermi, lui, storpio, la sua
mancanza nei confronti del mondo piangeva. I dieci centimetri in meno della sua gamba sinistra, l'articolazione
nata malata dell'anca, piangeva, il trascinarsi tra bastone e femore, il freddo nella casa vuota, l'ingiustizia piangeva davanti a noi come un bambino. Finché un signore
con una bella barba e un bel modo, pareva un professore, gli si accostò e si chinò all'altezza sua, gli raccolse gli
occhiali, se li pulí sulla camicia, poi lo aiutò a inforcar-
li sugli occhi umidi e gonfi, lo aiutò ad alzarsi, gli tenne
il bastone finché lo storpio non poté tenersi da solo, poi

cacciò dalla tasca un fazzoletto di stoffa e glielo diede per tamponarsi il viso.

– Su, – gli disse, solo questo, e poi a grandi passi lasciò il salone.

Io mi chiesi quanto potesse essere quella pensione ritardata di un giorno che gettava nella disperazione il vecchio. Ma la mia non era la domanda giusta.

Venti

Poi venne di nuovo l'estate e ci fu da inaugurare un festival cittadino, e io mi feci vedere, cosí come ci si fa vedere: andai a salutare Marcello Esse, perché avevo piú confidenza. E dunque giunse la rappresentante del governo centrale, un sottosegretario alla cultura, terza di tre sorelle che avevano esordito da ragazze conducendo un varietà televisivo di cui mio padre era stato, alla fine degli anni Sessanta, anche ospite per una serata. E cosí papà andava facendole i conti addosso, e quando intercettava, sulla copertina di una rivista per i programmi televisivi, quella faccia, con il trafiletto che ne riportava l'età, diceva: – È impossibile che ha solo cinquantun anni, e che invecchio solo io?

Ma non capitava di frequente, perché a ogni rivista che entrava in casa, mio padre strappava immantinente la copertina e la buttava. Cosí ci volevano almeno tre pagine di pubblicità per arrivare a un indice o un colophon e capire di quale testata si trattasse.

– Marò, papà, ma questo cosa è? «Spazio sette»?

– Lo vedi che sono tutti uguali? Senza titolo non sapresti dire, ci sono quattro pagine solo di macchine e profumi.

– Sí, però con la copertina…

– E mica mi possono imporre la faccia di qualcuno?

– Ma non ti basta girarlo?

– No. Giro i quotidiani, i quotidiani li leggo dalla fine.

– E perché?

– E mica lo decidono loro cosa è piú importante…

– Vabbè, ma questi qua li comprate voi.

– Questo della tivvú lo compro solo per sapere se c'è qualche bel film da registrare durante la notte.

– La notte?

– Eh, di giorno film non ne danno, li registro cosí poi posso toglierci le pubblicità e vedermeli.

– Vabbè...

– E l'altro lo compra tua madre. Mi dà fastidio che entrino queste facce in casa nostra. Le peggiori facce d'Italia.

Dunque a quell'inaugurazione mi veniva da guardare le rughe sulla fronte della sottosegretaria. Ma seppellite erano, senza possibile riesumazione, da una lapide di fondotinta. La baby presentatrice aveva fatto carriera in televisione e, solo una quindicina di anni prima, andava gettandosi ogni domenica con un deltaplano, con un paracadute, dentro una rapida in canotto, dentro una fogna con un sommozzatore, sempre seguita da una telecamera, per intrattenere il pubblico che si ingozzava di ragú. E adesso questa stava qua tutta stimata e fotografata, era il rappresentante del mio Stato, io ero un dirigente del suo ministero in qualche modo, e Marcello Esse mi portò a stringerle la mano. E appena questo accadde, appena le nostre mani si intrecciarono, lei abbassò repentina lo sguardo e, toccando l'anello di resina che avevo all'anulare, disse:

– Questo è Gaetano Pesce.

– Sí, – risposi riconosciuta e accolta, le sorrisi.

Poi lasciò i lavori presto, con la macchina blu tra due ale di guardie del corpo. Si andava cosí, che dopo quindici anni di governo stavano arrivando anche alla Provincia. Per quel cambio politico il mio teatro perdeva finanziamenti e potere: il vecchio presidente, che mi aveva eletta in consiglio d'amministrazione, si dimise subito, lasciando la presidenza a un affarista di partito nessuno.

E mi accorsi, finalmente io sotto gli occhi del mondo e dentro al mondo, che il mondo si era d'un tratto rimpicciolito. Era fatto tutto degli stessi contatti in circolo, dell'informazione che si poteva reperire tramite lui che avrebbe chiesto a lei. La Terra disegnava un'ellisse sempre piú stretta attorno al Sole, perdeva velocità, l'atmosfera si faceva soffocante, ogni volta che mi arrivava una mail in copia visibile che raggiungeva assieme a me altre dieci persone, ogni volta che dovevo mettere in contatto l'attore con il regista, sentivo che il pianeta stava collassando e non ci sarebbe stato scampo per nessuno. Da un lato all'altro del giornale, da un lato all'altro della posta elettronica, alle vernici, alle prime, da un lato all'altro dei tavoli. Neppure la linea cadeva piú, ché il conto telefonico era accreditato su quello bancario. Se mi serviva un libro lo mandavo a prendere, io, che ero stata quasi concepita alla Biblioteca Nazionale di Napoli. E Napoli stessa: era il tratto di strada e cielo intravisto dal finestrino di un taxi. Casa-taxi-teatro-taxi-soirée-taxi-casa-taxi-aeroporto. Ma quello che davvero mi offendeva, di quell'offesa profonda che ciascuno arreca a se stesso derogando a se stesso, è che mi sono accorta di quanto brutto si fosse fatto il mondo solo quando ho perduto credito.

Andarmene sarebbe stata la mia giusta libertà. Ma io adesso ero arrivata tra gli altri. Non seguivo piú le generali se non quelle prodotte da me (per la paura di aver fatto una sciocchezza). Non avevo piú tempo per quel momento intimo, in cui si è in sala in pochi e tutti sospesi, con l'emozione trattenuta, per scoprire lo spettacolo un giorno prima del mondo e avallarlo, sostenerlo, parlarne, aiutare gli artisti a sciogliere la maledetta indispensabile tensione. Quel piacere lo barattavo con un altro piacere, che era quello della prima, della festa a palazzo, anche con i soci stessi, gli assessori che mi avevano messo lí o da lí mi volevano scalzare.

Ogni prima era una mia festa personale. Mi guardavo dagli sprechi, eppure la cura con cui mi vestivo, quel mio scendere nel foyer a convitati già arrivati, mi faceva padrona

di casa e primadonna piú che qualunque attrice: scendevo
le scale con i tacchi e con l'ufficio stampa alla mia sinistra
e andavo a salutare. Se, svoltata la scala dietro al banco-
ne del bar, dall'alto a guardare giú vedevo poca gente, mi
prendeva un panico che mi ottundeva tutta, anche la visione successiva. Mi concentravo sulla lunghezza dell'applauso, di certi applausi soprattutto, mi voltavo a vedere
chi e quando si allontanava dalla sala al primo accendersi
delle luci. Scortavo i critici, anche a cena se era una produzione nostra. E poi, quando il teatro era vuoto e solo i
tecnici passavano e le maschere, allora mentre allungavo
il mio passo sui legni, io che potevo entrare dappertutto
senza chiedere, sentivo ciò che non era: che il teatro era
mio. Proprio la sua struttura fisica, il suo essere edificio e
mondo, con il suo contenuto umano di tecnici e attori, di
apparizione, visione e realtà. Tutto mio.

Ma non era solo in casa che si giocava la mia partita.
Era quando all'estero mi accoglievano con tutti gli onori,
mica a trovare alloggi scalcinati per gli attori, a dormire in
quattro in una stanza. Era proprio me che mandavano a
prendere all'aeroporto, ero proprio io quella che aspettavano per iniziare la cena, quella che, zittiti, nel lungo tempo
dell'interprete, ascoltavano: la direttrice del teatro regio-
nale piú importante d'Europa, per tradizione, dopo Edim-
burgo. Era poter entrare in tutti i teatri d'Europa senza
doverlo decidere manco mezz'ora prima, essere chiamata
a fare regie di prosa o di lirica da ogni dove. Chiamavano
prima me. E io lo sapevo che era per quello che rappresentavo in ufficio e non per quello che rappresentavo in scena,
perché poi, quando a volte mi infiltravo a vedere le prove
di uno o un altro spettacolo, o quando a volte mi sceglie-
vo davvero un grande artista da andare a vedere, allora io
non potevo non sapere che quello era piú bravo di me. Io
ero abbastanza brava, e avevo avuto le mie buone idee, e
forse i miei apici, ma *The Brig* del Living Theatre diceva
ancora qualcosa, mentre il mio *Otello* no, se non quello che

aveva detto Shakespeare, e davanti al *Sécheresse et Pluie* di
Ea Sola io stessa avevo tremato e mi ero emozionata, cosa
che non mi riusciva piú né per mano di uomo che mi toccasse, né di testo che leggessi, né di acrobazia che si com-
piesse. Certo se vedevo la ballerina di Sasha Waltz suo-
narsi i capelli con un archetto di violino potevo desiderare
di averla in un mio spettacolo, e di dirigerla, ma nessuno
mi assicurava che avrei ottenuto da quel corpo quella stessa perfezione. Perché io ero abbastanza brava, piú brava
della media, ma non ero bravissima e, pur dimenticandolo
per la maggior parte del tempo, a volte questa dimensione
mi appariva chiara, irrorata da una luce cosí netta e profonda che neppure me ne rammaricavo: perché in fondo
io avevo studiato e amato, e quindi davanti allo splendore
sapevo ancora inchinarmi.

E allora forse proprio per questo mi stava bene quel
posto lí, era la mia giusta forma. E poi andavo a protesta-
re insieme agli altri artisti a fontana di Trevi e osservavo
lo sciopero delle maestranze in tutte le mie sale, perché il
governo continuava a tagliare il Fondo Unico per lo Spettacolo, e con quel poco che rimaneva potevo mandare in
tournée solo uno spettacolo tra quelli prodotti, e ci mandavo l'*Otello*, non perché fosse il mio, ma perché era costa-
to cosí tanto al teatro, e quel primo attore anziano e bello
e cosí bravo con il viso pittato di nero aveva preteso per
contratto almeno duecento repliche pagate, senza contare
i trentamila euro del cachet iniziale. Quando raccontavo
a mia madre, criptando buona parte dei miei malumori e
senza dire dei minimi crimini che andavo compiendo, se
raccontavo lei diceva: «Quando il confronto è impossibile, non fare niente è ancora la forma piú efficace di azione politica».

Ma per quanto mi lamentassi di quella fila ininterrotta
di attori e registi questuanti, a me quella fila mi inorgogli-
va. Io sapevo che una mia mail cambiava loro la giornata
e un appuntamento con me gli cambiava un mese di vita.

E poiché il bilancio era allo sfascio e la situazione politica traballava, al punto che la mia presenza era sempre piú precaria, allora io per ristabilire quell'equilibrio interno, mio interno, dentro di me, allora io avevo piú bisogno dei questuanti. E dicevo sí mentre sapevo che la risposta era no. Tenere tutte quelle persone sospese mi serviva a sentirmi meno sospesa.

Questo mi aveva fatto lo Stabile, questo il prezzo: uccidermi il senso in un abisso di insicurezza. E quindi adesso che pagasse davvero. Anche l'Arco di Castiglioni andava bene.

Avevo invitato i miei a un *Racconto d'inverno* integrale, con la Boemia che si affacciava su Scilla e Cariddi. Ma mia madre mi telefonò.

– Ciao Clelia, come va ammamma?

– Bene, ho vinto la regia a Stoccolma.

– Brava, che era?

– Il *Lohengrin*.

– A te è sempre piaciuto, e quando devi partire?

– Tra un paio di settimane, tanto ci vediamo per il *Racconto*.

– Eh, proprio questo ti volevo dire: quei biglietti che ci hai riservato per la prima, glieli vorrei passare a Michela e Simone, perché è il compleanno di Michela, poi noi ce li compriamo per un'altra serata.

– Mamma ma che dici, ve li comprate? Vi accredito quattro per la prima.

– No, no, che sciocchezza, facciamo come ti ho detto. Preferisco.

– Vabbè, allora digli di venirseli a prendere in ufficio, quando hanno tempo.

E quando mio zio venne a trovarmi, mi disse che gli aveva fatto strano farsi annunziare dalla segretaria.

– Che le regali a zia?

– La porto questo fine settimana a Sorrento.

– Ah, bello. Hai già prenotato?

– Sí.

– È bello l'albergo?

– Non lo so, ho prenotato per telefono.

– Ma sul sito non c'era la fotografia?

– Sul sito di internet? No, ma io ho prenotato per telefono.

– Eh, e dove lo hai preso il numero, te lo ha consiglia-
to qualcuno?

– L'ho preso sull'elenco telefonico: Napoli e provincia,
Provincia / Sorrento, Sorrento / Alberghi, e ho telefonato.
Poi ne ho trovato uno che costava poco e cosí mo andiamo.

– Speriamo che è bel tempo.

– E che importa?

# Ventuno

Se non ci fosse stato questo: che nel 1980, quella domenica del 23 novembre, io ero con mio fratello Alessandro alla sala Diana di Pompei, assieme a zia Michela e zio Simone, a vedere *Rocky*, e se non ci fosse stato che eravamo saliti in piedi, noi bambini, sulle poltroncine nel buio, e ce lo avevano fatto fare essendo tutti i bambini saliti lí, ché era una proiezione pomeridiana e quindi piena di nidiate e anche gli adulti stavano in piedi in questa inerzia della domenica che presto si era trasformata, già dopo le Bomboniere dell'intervallo, in un ring, in un galvanizzante allenamento. E se non fosse accaduto che poi, mentre Rocky le dava ad Apollo Creed, aveva iniziato a tremare tutto attorno a noi, e le mura aprirsi a crepe profonde da rivelare l'esterno, e il tappeto a sprofondare sotto i nostri passi verso il chiarore della strada, le porte prontamente spalancate dalle maschere e la pellicola risucchiata nello schermo. Se non fosse stato che lo zio ci aveva presi tutti e due in braccio e ci aveva addossati a un pilastro per non farci travolgere dalla folla, e solo dopo, una volta usciti all'aperto, e aperto davanti a noi il luttuoso spettacolo del crollo, avevamo ritrovato la zia in lacrime che ci sorrideva sul dolore, e visti i nostri genitori venirci incontro nel chiarore dei falò, lasciata alle spalle la lesione della casa. Se non fosse andata cosí, io a Stoccolma quella sera dell'ottava settimana di prove non mi sarei vista tutto *Rocky* in versione originale e senza sottotitoli, da sola nel mio letto d'albergo a cinque stelle.

Stavo da quasi due mesi a combattere con l'inglese, che tutti i professori d'orchestra conoscevano molto meglio di me, e vivevo l'infelice condizione di dover sottostare a un direttore, perché questa è la gerarchia della lirica, che d'un tratto si girava nel pieno di una nota e mi diceva: «Ma quella luce lí non sta bene sul preludio», e io a dire di smantellare, con il maestro delle luci che mi fulminava come avrebbe fatto a uno dei suoi riflettori.

Di giorno facevo lunghe passeggiate in battello, lí dove la superficie dei fiordi permetteva, mangiavo zuppe bollenti e, da un piccolo ufficio che mi avevano messo a disposizione, mi dedicavo per un'ora alle mail e a una telefonata con il direttore di produzione di Napoli, che si era accollato il compito di farmi un attento resoconto del precipizio verso cui il teatro deragliava, e di tenermi al corrente della tournée del mio *Otello*, e di eventuali voci di corridoio sul farmi fuori, sí o no e quando. E poi me ne tornavo sempre nello stesso albergo slittando sulle lastre di ghiaccio dei marciapiedi larghi, con un sole che si svegliava alle undici per andarsi a coricare alle quindici dopo essere solo rotolato sull'orizzonte, senza mai prendere il cielo. Stoccolma scorreva serena verso l'inverno e verso il futuro, pareva una città che non avrebbe mai leso il pianeta, piú attenta di un induista che spazzi la terra davanti a sé per non rischiare di calpestare essere vivente.

Nel suo museo di arte contemporanea, installazioni facevano ben sperare sull'arte e sulla sua applicazione: prendevo spesso, la mattina prima delle prove, una delle sedioline che venivano offerte ai visitatori, e che potevi portare a tracolla, leggère, per poi sederti davanti all'opera che piú ti dava pace. Perché questo fanno le opere d'arte: danno pace e rivelano il mondo e il suo pensiero. Mi sedevo davanti a oggetti di design, o dolori dell'eterno crepuscolo, o prototipi di casa che trasformavano la spazzatura in oro. E dappertutto vedevo Lohengrin. Egli mi seguiva in una valva di conchiglia lungo i ponti che collegavano le isole, soffiava vichingo nella mia tazza di tè bollente, la notte mi copriva di un vello per farmi dormire senza pensare.

Quando tornavo nella mia stanza ero completamente pacificata, e sentivo come un dolore profondo e lontano l'Italia e la città mia. Dovevo evocarla, quella terra, per infliggermi un poco di pena, nell'improvvisa quiete attiravo un fulmine di ricordo: ero troppo allenata all'ambascia per accettare di respirare senza pericolo e nel giusto, giacché quella sospensione che provavo era proprio un improvviso inatteso trovarsi nel giusto. In quello spazio, in quel lavoro, nella solitudine, nell'arrendevolezza della scena alla musica: mi riconoscevo.

Vivevo in una capitale che galleggiava sul ghiaccio, e la mia stanza d'albergo affacciava su una corte di coraggiosi sempreverdi naturalmente addobbati di coni di ghiaccio, cosí ugualmente il mio Lohengrin professava le sue ragioni su quella laguna e attraverso quelle perlescenze: era un continuo riflesso nitido di se stesso.

Alla fine dell'ottava settimana mi dissero che la regina avrebbe avuto piacere di assistere a una prova, e ne veniva a chiedere il permesso a me e al direttore d'orchestra: si scusava, in carta reale intestata, di non poter essere alla prima, poiché era chiamata in un viaggio nell'estremo nord del paese dove stava assistendo all'organizzazione di una scuola elementare, ma che il Lohengrin era la sua opera da sempre preferita, e non avrebbe voluto rinunziarvi. Mi sembrò retorico o formale, o tutt'e due, che ce lo chiedesse: avrei potuto dire alla regina che le prove erano a porte chiuse? Avrei voluto? No. Perché il Lohengrin era anche esattamente la mia opera da sempre preferita, e quindi comprendevo la sovrana. Chiesi all'ufficio cerimoniale di rispondere nel modo migliore. Dopo le prove mi fermai a parlare con il direttore d'orchestra, e lui mi raccontò che spesso la regina faceva visite alla generale: che in realtà, lui credeva, lei non amava le prime, e lasciava che i ministri presidiassero, e che anche il marito veniva sempre, insieme a certi amici melomani, alla terza o quarta serata.

Una sera, mentre aspettavo il tram che mi riportasse, lungo le rive, alla mia stanza d'albergo, e vedevo una teoria di carrozzini parcheggiati fuori dai supermercati con anche i bambini dentro, imbacuccati e rosei, soli senza nessuno che li sorvegliasse, dalle mie spalle si avvicinò al binario un omino su una sedia a motore, piccolo e deforme, con la sedia piena di amuleti e campanelli, e le gambe storpie avvolte in una coperta. Quando il tram si fermò alla banchina una donna in divisa ne uscí, da una porta apposita piú larga delle altre, e stese una passerella tra il tram e il marciapiede, che ne colmasse il dislivello, e lí su quel tappeto accolse il transito del freak in sedia a motore. Io salii dietro di lui e mi accorsi di dar fastidio, in una zona del tram pensata per il trasporto di bambini e biciclette. Sentii forte questo: che ero inopportuna, e mi affrettai in un altro vagone.

Cosí giunta nella stanza, la sera prima del mio incontro con la regina, vedevo *Rocky*, e mi saliva sempre in petto a ogni scena quell'enorme paura di soccombere e quella sfacciata possibilità della sopravvivenza che per me erano legate, indissolubili, insolvibili a correre nell'alba gelata su per i settantadue scalini del Museum of Art di Philadelphia. E gelata si fece sí l'alba, mentre mi chiedevo dove avessi peccato nella regia, e lo sapevo dove: avevo peccato verso Elsa, perché non l'avevo saputa accarezzare e far accarezzare, perché manco mi ero industriata a metterlo in scena quel matrimonio nordico. E forse, per pudore di un amore che non sentivo piú da lunghissimo tempo, avevo sciupato la marcia nuziale piú famosa della storia della lirica.

Mi alzai dunque presto e cercai un parrucchiere. Volevo mettermi in sesto, forse ci sarebbe stata anche una foto ufficiale, ed ero l'unica donna mora e riccia nel mondo di chiare della parruccheria. L'aria sovietica del ramo femminile della mia famiglia si era persa negli innesti, erano rimaste a mia madre e sua sorella le prerogative della pelle diafana e degli occhi blu. Ero anche la piú bassa: dovettero alzarmi di molto la seduta per farmi rovesciare la testa nella vasca. Poi, al momento della piega, mentre l'hair stylist in chief mi inanellava i ricci, chiamò le shampiste a guardare, e quelle presero a tirarli come molle, e piene di meraviglia si facevano.

Studiai l'abbigliamento, perché avevo un solo vestito molto elegante, ma era adatto per una prima, non certo per una prova pomeridiana. Quindi corsi a scaricare la carta di credito in un negozio di Camilla Wellton e me ne uscii tutta vestita di lana cotta e pietre dure.

Arrivai in teatro con molto anticipo e mi assicurai che tutto fosse pronto e al giusto posto suo, giacché avevo deciso che non sarei mai intervenuta. Avrei guardato la filata da una barcaccia, cosí da avere una visione d'insieme anche della sala, e godermi l'arrivo della regina, e resistere all'impulso di mettermi in mostra nella direzione: piuttosto, per amore di Wagner, lasciare ciò che era compiuto a lui. Sarei scesa subito dopo, sulle note finali, per farmi trovare in sala al momento della presentazione.

A cinque minuti dall'inizio della prova il direttore di scena iniziò a chiamare il coro, poi i maestri, poi gli attori, io salii in barcaccia e mi girai verso la sala. La regina non era ancora arrivata, c'erano i tecnici in platea, a far passare cavi in una canalina, alcuni studenti uditori del Collegio reale della Musica che chiedevano il programma di sala a quelli seduti dietro di loro, e lo staff dei costumi, sulle prime poltrone, con i bozzetti, che dava l'ultima occhiata. Sul palco, ai miei piedi, da *corte* e da *giardino* sfilavano gli artisti, sicuri, frettolosi nel raggiungere la loro posizione. Come sempre vociavano sommessi, e lo scalpiccio sul legno del palco copriva tutto. Io, come un uccello dal suo ramo, guardavo giú e a sinistra di continuo per non perdermi l'arrivo, ma intanto stava scendendo buio sul palcoscenico e in sala, poi il direttore chiamò l'orchestra.

Non era una prova in costume, e manco i musicisti erano in giacca: ero la piú vestita di tutti e dentro di me pensai che era meglio che la regina non fosse venuta, perché va bene l'informalità, ma mi sembrava un'esagerazione quella felpa del corno inglese con il teschio blu. Sebbene il preludio atto I del *Lohengrin* sia il luogo piú dolce e ambizioso dell'opera umana mi montò dentro una rabbia feroce, come avessi subito io l'offesa di quella mancata apparizione. Molte volte tornai con gli occhi alla sala ma nessuno piú entrò, e mi consolai pensando che almeno la quindicina di spettatori stava con gli occhi incollati a quella scenografia tanto travagliata, poi mi distrassi definitivamente, perché Elsa era in trance davanti al Giudizio e non si difendeva, *Elsa, verteid'ge dich vor dem Gericht!*, per favore Elsa, difenditi!

La filata era andata bene, ero leggermente commossa mentre gli attori tutti sudati tornavano nei camerini, e i professori correvano fuori a fumare sigarette nel gelo, senza manco mettersi un giubbetto prima. Attraversai la sala per raggiungere il fotografo di scena e mi venne incontro una signora anziana, con un cappotto di lana beige e i dolposci ai piedi: molto sorridente mi tese la mano e mi ringraziò in italiano per averle concesso di seguire una filata con tanti giorni di anticipo sul debutto, poi si scusò, ché avrebbe continuato in inglese. Fu quando arrivarono gli altri tre che l'avevano accompagnata, e ci chiesero se volevamo salire nel salotto a conversare, che compresi che quella che avevo preso per un'insegnante del Collegio reale della Musica era molto piú Reale di cosí. Ci fermammo a bere il tè, giusto cinque minuti, al caldo, e durante quel caldo lei mi disse che aveva apprezzato molto le schiarite dello sfondo che quasi non era né cielo né mare, e che amava le regie poco intrusive ma efficaci, sentiva che avevo colto il senso della sfida, eppure aveva chiesto al suo entourage se Clelia fosse, come sembrava, un nome di donna, perché la messinscena era molto maschile.

Poi mi salutò con riguardo, stringendomi la mano, e mi augurò buona fortuna, per me e per il teatro italiano. Fuori l'aspettava una macchina elegante, ma non era blindata, né c'erano guardie del corpo, solo un autista con un berretto di lana, eppure qualche tempo prima un kamikaze aveva tentato di farsi esplodere per vendicarsi di certe vignette sul Profeta; andò.

Ventidue

– Clelia, – disse il presidente del TRC indicandomi le poltrone d'angolo invece della sedia alla scrivania. In tasca mi vibrò il cellulare, diedi un'occhiata al display: era mia madre. Silenziai.

– Io sono un uomo dalle molte giacche.

– Cosa intende?

– Che trascorro la vita a risanare bilanci, dirimere controversie, fare conferenze stampa. Alla fine ho sempre ragione io, anche quando non ce l'ho.

– È un ruolo disgraziato.

– Per alcuni aspetti sí.

Il cellulare continuava a lampeggiarmi la chiamata di mia madre e io lo lasciavo squillare, come si fa quando non si vuole mettere giú ma solo dare a intendere che si è occupati.

– E dunque, Clelia, io le parlo molto francamente: anzi, sono qui proprio per questo. Il mio mandato scade, o meglio, io l'ho accettato fino al 31 dicembre. Me lo sono scelto io: ho intenzione di esaurire il mio compito entro la fine dell'anno.

Ma il telefono continuava a lampeggiare e io sentivo salirmi l'ansia e quell'ottundimento che l'ansia porta, e che tende a escludere la concentrazione esattamente nel momento in cui piú essa ti occorre. Allora spensi.

– E il mio compito, i miei compiti, sono due: risanare questo bilancio, questo baratro nel quale le ultime amministrazioni hanno fatto sprofondare il teatro. Non dico lei, sia chiaro, anzi so bene che in due anni di reggenza di qualsivoglia cosa in realtà non si può fare molto se non registrare rogne e diventare bersaglio. Lo so bene. Ma i fatti sono questi e li legge anche lei: due milioni e ottocentocinquantamila euro che i soci dovrebbero risarcirci. Ma li abbiamo già spesi. Me lo lasci dire, io che dirigo anche il Polo degli artigiani: signora, è veramente tantissimo. E questo è un dato che si può attribuire a lei, benché lei lo abbia ereditato. Ma insomma, anche il diabete è ereditario, però il medico deve curare il paziente, mica i suoi avi.

– Che vuole dire?

– Senta, lei deve lasciare: per il bene del teatro. I soci sono cambiati, e quando cambiano i soci, cambiano i vertici.

– Questo lo deve decidere il consiglio d'amministrazione, mica l'assemblea dei soci.

– Giusto. Ma i soldi chi li mette? Il consiglio o i soci? La programmazione come la paghiamo? E i fornitori? Ragioni: i soci vogliono farlo decollare questo teatro, lei è una teatrante e non può non volerlo, solo che vogliono decidere loro il vertice, cosí come lei è stata scelta senza un criterio che non fosse politico, anche questa parte che ora ha vinto vuole i suoi trofei. Cosa si aspettava?

– Parlerò con il mio avvocato.

– Lo faccia: agli avvocati conviene fare le cause, ma se è una persona fidata la sconsiglierà. A noi…

– Parla con il plurale maiestatis ora?

– Al teatro non interessa che lei faccia una vertenza. Io dove sarò tra dodici anni, quando si concluderà? E lei avrà vinto, sia chiaro, ma anche lei, dove sarà? Invece pensi a un'alternativa, pensi a una soluzione ragionevole. E noi le verremo incontro. Lo faccia per il bene del teatro, e anche per il suo.

– Si guardi dal sapere cosa è bene per me.

– Non si alteri.

– Buonasera.

Riaccesi il telefono per chiamare Gianni e subito, avvisata da un segnale automatico, mia madre intercettò il telefono raggiungibile e mi richiamò.

– Mamma.

– Clelia, benedett'iddio, ma perché non rispondi?

– Stavo in riunione, che è?

– Tuo padre sta male.

– ...

– Sta da sette ore agli scavi e non vuole tornare, tu devi andarlo a prendere.

Mi precipitai su via Depretis a prendere il taxi e concordai una tariffa turistica per farmi portare direttamente a Pompei. Fatti cento metri restammo intrappolati nel traffico di via Marina. Ce n'era per ore, allora scesi e me la feci a piedi.

Nelle fotografie di nonno Riccardo questa strada era mare, l'acqua lambiva i palazzi alla mia sinistra e i palazzi non esistevano ancora. Camminavo guardando avanti davanti a me, e sgranavo il senso della città: alla mia sinistra, palazzi puntellati dopo chissà quale crollo e alberghi high tech acciaio e vetro, a destra le trattorie del porto, la pasticceria siciliana che aspettava il *Palermo* con cassate e cannoli. In mezzo, sei corsie ferme di automobili e autobus e ambulanze con le sirene accese e i motori spenti. Continuavo. Davanti a me, lontano, incappucciato di neve, il Vesuvio: è verso di là che stavo andando. Lo guardavo e quello svettava sopra lo smog, dava la direzione ai naviganti. A sinistra l'università, al centro la chiesa di Portosalvo, a destra il varco Immacolatella con qualche luce accesa nel pomeriggio invernale e i panni del custode stesi sul golfo, davanti a me il Vesuvio, a sinistra via Duomo che saliva, a destra varco Pisacane, al centro l'antica porta della città verso il mare, materassi di derelitti appoggiati alle mura medievali, un palazzo di dieci piani contro tutto, poi la piazza del Carmine con il campanile. Abbandonai via Marina, svoltai per Guglielmo Pepe, alla mia sinistra ancora il mercato del pesce a destra la Circumvesuviana, binario 3 linea Sorrento, fermata Pompei Villa dei Misteri.

La biglietteria degli scavi chiudeva un'ora prima del tramonto, ma io pagai il caffè al custode ed entrai lo stesso.

– Un minuto, – gli dissi, – devo trovare mio padre.

Lui non sapeva chi fosse mio padre, io non sapevo dove fosse. «Alla Casa dei Gladiatori, – mi aveva detto mamma, – è crollata stamattina», e io scesi sicura, incrociai gli sciami di turisti che uscivano dal varco della Villa dei Misteri per raggiungere i pullman, ché il sole era già dietro i silos del porto di Torre Annunziata. Avevano visiere e ombrellini, come quando noi eravamo piccoli, ma anche degli auricolari che captano i discorsi della guida, ed erano incendiati dal sole novembrino riverberato per tutto il giorno sul granito. Costeggiai il prato del Foro e svoltai per via dell'Abbondanza.

Vidi prima un enorme riflettore spento, che aspettava il tramonto per accendersi, e uomini in casacca arancione che trafficavano veloci. Poi vidi le transenne. Poi vidi mio padre seduto su un marciapiede.

Mi sedetti accanto a lui.

– Ciao papà.

Aveva pochi capelli sulle tempie: tutti bianchi, la faccia rossa per il freddo e per il pianto, addosso il cappotto che comprò al Bottegone, al Vomero, venti anni fa per mille lire.

– È consumato questo montgomery, cosí ti ammali.

– Cosa potevo fare?

– Niente papà, cosa volevi fare? Tu hai lavorato per il Comune, mica per la soprintendenza.

– Ma questa era la nostra casa.

– Lo so, hai ragione, ma che ci puoi fare tu?

– C'era troppo cemento, e troppe infiltrazioni.

– Appunto, e cosa ci potevi fare tu? Mica l'hai fatto tu il restauro. Cioè, al massimo potevi stare poggiato al muro per reggerlo, ma sarebbe crollato lo stesso con te sotto.

Attorno a noi i turisti erano spariti, come accade negli scavi all'improvviso, che d'un tratto tutto è silenzio e il passato si riappropria del tempo suo fino al mattino.

Accesero il riflettore, i custodi si fecero sotto le transenne curiosi, mentre gli operai riprendevano il lavoro. Arrivarono i cani e si accucciarono ai nostri piedi, mio padre era tutt'uno con la pietra quindi nessuno si peritò di mandarci via.

– Papà noi ce ne dobbiamo andare, adesso, mamma sta preoccupata.

– Lo sa che sto qua, è venuta pure lei, poi se ne è andata per pranzo.

– Mi sembra sano.

– Non mi provocare, Clelia: io non la vedrò mai piú.

– La mamma?

– Smettila.

– Anche se resti qua non la vedrai mai piú.

– Ma questo è un funerale, e io non so andare via. Ti ricordi?

– Mi ricordo. Andiamo.

– Forse i tuoi figli la vedranno restaurata.

– Papà, ho quarant'anni, non ho un uomo da millenni, non avrò figli.

– Che hai fatto tutto questo tempo?

– Stavo appoggiata ai muri, andiamo.

Cercai di farmi il conto, di quanto tempo fosse passato dall'ultima volta che avevo dormito a casa dei miei genitori. Ma mi sentivo distrutta, e non avevo la macchina, e non avevo voglia veramente di tornare. Cosí cenai con loro, poi mi aprii il divano-letto nello studio e rimasi seduta a lungo a gambe incrociate a fare i conti, mandai un sms a Gianni per non toccare i nervi alla sua compagna: gli chiesi di chiamarmi quando avesse potuto, e lui lo fece subito. Mi spiegò che non ne capiva molto, che si sarebbe informato, che aveva bisogno di leggere il contratto.

– Mi ha detto che se mi volevi bene mi avresti sconsigliato, secondo te perché?

– Mh, boh? Io con questa gente sibillina non ci traffico. Però tieni conto che è pieno di vertenze di questo gene-

re, di posti dirigenziali che vengono revocati pretermine e
persone che non si riescono a ricollocare che fanno cause.
Tanto a loro non importa. Loro guardano all'oggi, mica al
domani. Sai quanto dura una causa di queste, a patto che
si vinca? L'Italia è una ragnatela di queste cause. L'Italia
è una ragnatela.

– Mi ha detto di trovare io una soluzione ragionevole.

– Mh, vuole scendere a patti cosí te ne vai senza casi-
no. Insomma, secondo me è come si fa alla Rai: visto che
la stagione è iniziata ti garantiscono qualche mese di stipendio, diciamo fino all'estate, e poi un paio di produzioni
per i prossimi anni per rimetterti in carreggiata subito. O
una buona uscita economica. Loro il teatro se lo tengono,
Clelia, vuoi o non vuoi, e tu, se fai causa al teatro, diventi
nemica del tuo teatro.

– Ma non è cosí.

– Diventa cosí, sono patti leonini, non c'è alternativa.

– Cosa ha senso che faccia?

– Mettiamola cosí: ti voglio bene, quindi ti sconsiglio
la causa.

– Porco cazzo, quello l'aveva detto.

– Ma cosa?

– Che era uno che aveva sempre ragione anche quando aveva torto.

– E va bene, gioca con le parole perché la ragione non
è univoca. Ma comunque. Ti sconsiglio la causa, e se mi
guardo per un attimo attorno, e non mi far sentire, ti consiglio di prenderti tutto ciò che puoi.

– Ha senso?

– Ha un senso.


Il giorno dopo arrivai in ufficio molto tardi, sperando
di non trovare il presidente, e di incrociare solo attori che
facevano le prove. Chiamai Alessandro, che secondo i miei
calcoli doveva essere uscito da scuola e, arrancato nella neve, si stava bevendo una cosa calda a casa.

– Oh Alessandro tu devi chiamare papà.

– Oh sorella, piano con gli imperativi. Ho sentito mamma dodici volte, ieri. E anche papà.

– Come ti è sembrato? A me mi ha fatto paura.

– Fuori di senno totale.

– La cosa che mi ha spostato di piú la nervatura è che faceva il patetico: *i tuoi figli forse la vedranno restaurata...*

– Dài, era una speranza, cinque minuti fa stava ancora piangendo, non ha fatto cosí manco quando è morta la nonna.

– Uffà. Tu come stai?

– Sto male, sono preoccupato assai. Sono rimasto con trentadue bambini di tre anni da solo in classe, oggi.

– Mamma mia, potevano farsi male.

– Potevo farmi male io. Tu ti rendi conto che significa trentadue bambini di tre anni da solo?

– Ma non hai la compresenza?

– Si è presa quindici giorni di malattia e la direttrice non ha dato la sostituzione. Mi sono trattenuto la pipí dalle undici e mezza alle tre.

– E ci può stare una classe di trentadue bambini?

– Ci può stare quello che fisicamente ci sta... vienimi a trovare, non hai nessuno spettacolo da vedere qua?

– Ale, mi stanno facendo fuori. Non so se aspettare che mi caccino via con le cattive o garantirmi una buona uscita, una coda di stipendio, qualche regia...

– Ce n'è una terza?

– Dovrei fare causa, ho l'incarico fino al 2012. Che faccio?

– Chi è che ha ragione?

– Nessuno, Ale, abbiamo tutti torto.

– Devi trovare la ragione sennò come fai a scegliere? Mica c'è un altro modo. Oh non piangere, e jà, vieni a fare uno spettacolo qua: ti porto le mamme, un euro a biglietto.

– Stronzo.

– No, veramente, senti: manco quindici anni fa, quando ho avuto la cattedra, *manco quindici anni fa*, davamo il materiale didattico ai bambini con problemi di reddito, poi qualche anno dopo abbiamo chiesto alle mamme il materiale senza guardare in faccia a nessuno, poveri e ricchi, e quando dico poveri dico i rom e quando dico ricchi dico ville che non hai proprio idea... Pennarelli, plastilina, carta crespa, scotch, dovevano portare tutto loro. Poi da un paio d'anni è mancata l'acqua alla mensa e abbiamo chiesto alle famiglie di portare a rotazione una cassa d'acqua minerale, e tre giorni fa... mi senti?

– Sí.

– Mo ridi? Dài senti: tre giorni fa era finita la carta igienica, allora ho chiesto alla bidella e quella ha detto che erano proprio finite le scorte e di scrivere la richiesta alla direttrice. Lo sai che mi ha risposto?

– ...

– No, dici, jà: lo sai che mi ha risposto la direttrice? Mi ha detto che *non c'erano i soldi*. «E se lo devono pulire con le mani, il culo, i bambini?» le ho fatto, e quella ha scosso la testa. E mo sono tre giorni che noi insegnanti ci portiamo la carta da casa, e la bidella ha detto: «Dovremo chiedere anche questo alle mamme», ma noi ci mettiamo veramente vergogna, e che cazzo, la carta igienica nella scuola pubblica, capisci?

– Dovete fare una colletta senza spiegare a cosa serve.

– No, il contrario: dobbiamo fare una colletta e spiegare a cosa serve, perché noi abbiamo ragione, e non ci possiamo prestare al torto.

# Epilogo

Ecco, questa in tutta la sua lunghezza è la mia lettera di dimissioni.

La stampo, la firmo, la lascio sulla scrivania. La consegno senza condizioni e me li lascio tutti dietro, questi sciacalli in pasto sul cadavere della città.

Spengo il telefono e scendo dalla scala di ferro sul retro, e prima di uscire mi allungo dentro, passo sotto i tiri e arrivo sul palcoscenico, da dietro, mi fermo su un segno bianco, guardo la polvere delle quinte volteggiare illuminata dal 3, me ne vado.

Mi avvio a piedi verso via Medina, d'improvviso sono oppressa, mi tocco il collo ma non ho mai portato collane di giorno, allora ricordo che i satelliti riescono a captare la posizione di una persona anche con il cellulare spento, cosí lo prendo, gli stacco la batteria. E quando penso di aver fatto abbastanza lo ripesco dalla borsa e gli stacco anche la sim, e poi butto tutto in un cassonetto, tranne la sim, quella me la mangiucchio, senza ingoiarla, però la incido un po', la sgranocchio, la maltratto, la deformo. E intanto sono sbucata su via Medina.

Mi stendo su una panchina e sono sotto il Jolly Hotel, che ora si chiama NH Ambassador. Visto da qui sotto sembra appuntito come una piramide, un poco pendente verso me. Non ho l'indulgenza di Pasolini: a me quei poliziotti in borghese sotto la questura m'innervosiscono. Tra loro e la porta a vetri automatica dell'hotel c'è un termome-

tro digitale, che indica anche la data e l'ora. I messaggi
scorrono in rosso:

    + 6°C

Che freddo.

    17:45

E mo che faccio?

    8 NOV 2010

Manco quindici anni fa.

    COSÍ TE NE VAI SENZA CHIEDERE NEMMENO
    UN PICCOLO RISARCIMENTO

Madonna, ancora tu, maledetto.

    SONO SEMPRE IO SEMPRE STATO QUA
    DA PIÚ DI CINQUANT'ANNI
    TU DA QUANTO

Una quarantina. Ma perché non crolli?

    È PIÚ RAGIONEVOLE CHE TU TE NE VADA

Mh? E perché?

    PERCHÉ È PIÚ PROBABILE

Vabbè, ma non è *piú giusto*.

    LA GIUSTIZIA NON È DI QUESTO MONDO
    VEDILA COSÍ SE IO CROLLO NON CAMBIA NULLA
    E ANCHE SE TU TI DIMETTI

Se schiacci quei tre sbirri là però qualcosa cambia.

    NO NON CAMBIA NIENTE
    È IN QUESTO CHE HA RAGIONE PASOLINI

Sí lo so, dài, mi dispiace…

    FIGURATI E COMUNQUE NON CAMBIA NIENTE
    GUARDA SE TU MUORI O SE IO CROLLO
    A ME UN TITOLO E A TE UNA TERZA PAGINA
    È SU UN ALTRO PIANO CHE SI GIOCA LA PARTITA

Quale?

LA RESPONSABILITÀ PERSONALE

Ma tu non ce l'hai una personalità.

APPUNTO SEI TU CHE ODI ME
IO MICA VI PENSO MICA TI VEDO
DUNQUE NON BASTA CHE PREGHI PERCHÉ LO SAI BENE
CHE CON UNA PREGHIERA NON CROLLO
LO SAPEVATE
VOI AVETE GIOCATO E IO VI HO LASCIATI FARE

Però...

+ 6°C  17:50   8 NOV 2010

*Ringraziamenti, riferimenti, e una precisazione.*

Grazie a Roberto Santachiara, sponda indispensabile. A Pier Luigi Razzano che è sempre al mio fianco.

Il limite di p. 23 è di Gabriella Sellitti e il bozzetto di p. 90 è di Raffaele Di Florio: molte grazie per aver prestato le loro abilità ai miei personaggi.

Per le consulenze in varie discipline e alcuni aneddoti, grazie ai miei genitori, a Maurizio Braucci, Aldo De Vivo, Rossella Milone, Francesco Russo e Mario Spada.

Grazie a Isabella D'Amico per avermi regalato una battuta.

Ringrazio i lavoratori tutti della Giulio Einaudi Editore. In particolare, per i miei libri: Maria Ida Cartoni, Paola Gallo, Paola Novarese e Marco Peano.


La frase attribuita a Lucia, di p. 165, è una parafrasi da Eyal Weizman, *Il male minore*, edizioni nottetempo, Roma, 2009.

Il teatro di cui racconto nel capitolo Sedici è puro frutto di fantasia. Ma lo spettacolo che vi ambiento alle pp. 133-34 è *Morso di luna nuova* andato veramente in scena al teatro Trianon di Napoli, con le «Donne di Forcella» per la regia di Alessandra Cutolo e Marina Rippa.


Abdullah Öcalan arrivò in Italia nel novembre del 1998. È quindi inverosimile che Carolina sappia già in agosto della sua odissea alla ricerca di asilo politico. Però ho voluto lasciarglielo urlare, quel nome.

*Indice*

*Stampato per conto della Casa editrice Einaudi*
*presso ELCOGRAF S.p.A. - Stabilimento di Cles (Tn)*
*nel mese di aprile 2013*

C.L. 21568

| Edizione | | | | | | | | Anno | | | |
|---|---|---|---|---|---|---|---|---|---|---|---|
| 1 | 2 | 3 | 4 | 5 | 6 | 7 | | 2013 | 2014 | 2015 | 2016 |